水环境检测机构计量认证质量体系文件编写指南

张曙光　王金玲　曾　永
郭　正　王　霞　李　群　编著

黄河水利出版社

内 容 提 要

本书共分3篇，第一篇以计量认证基本知识和质量体系的建立与运行为主要内容，分11章，第1章～第2章介绍了计量认证的起始与发展及有关计量认证的法律依据和适用范围；第3章重点介绍了计量认证的目的、意义和特点；第4章～第7章介绍了计量认证的基础知识，包括常用术语和定义、法定计量单位、测量不确定度评价、数据处理及测量误差；第8章介绍了常规监测质量控制技术的特性；第9章介绍了质量体系的建立与运行；第10章重点介绍了质量体系文件、质量手册、程序文件及质量记录的编写原则、方法、编写格式等；第11章详细介绍了水环境检测机构质量体系的运行与管理，以及如何进行内部质量体系审核和质量体系管理评审。本书的第二、三篇为质量体系文件，介绍了质量手册和程序文件的编制格式及内容。

本书可供各级水环境检测机构的管理人员和技术人员参考使用，也可供有关院校、科研院所等单位从事质量检测的人员学习和参考。

图书在版编目(CIP)数据

水环境检测机构计量认证质量体系文件编写指南/张曙光等编著. —郑州：黄河水利出版社，2006.10
ISBN 7-80734-143-2/X·24

Ⅰ.水…　Ⅱ.张…　Ⅲ.水环境—环境监测—质量管理体系—文件—编制—指南　Ⅳ.X832-62

中国版本图书馆CIP数据核字(2006)第117461号

出 版 社：黄河水利出版社

地址：河南省郑州市金水路11号　　邮政编码：450003

发行单位：黄河水利出版社

发行部电话：0371-66022940　　传真：0371-66022620

E-mail：hhslcbs@126.com

承印单位：黄河水利委员会印刷厂

开本：787 mm×1 092 mm　1/16

印张：16.5

字数：391千字　　印数：1—1 000

版次：2006年10月第1版　　印次：2006年10月第1次印刷

书号：ISBN 7-80734-143-2/X·24　　定价：40.00元

前　言

20 世纪 80 年代中期，我国依据《计量法》、《标准化法》、《产品质量法》等相关法规，对产品质量检验机构实行计量认证和审查认可考核制度。水环境监测部门作为向社会提供公正数据的检测机构也于 20 世纪 80 年代开始由国家技术监督部门对其进行计量认证考核。20 多年来，通过计量认证和审查认可工作的开展，对评价产品质量检验机构的能力、规范其检验行为、加强机构管理和提高检测技术水平等方面起到了极大的促进作用。

近年来，随着国际实验室认可活动进程的加快和我国加入世贸组织的新形势，我国实施已久的计量认证和审查认可（验收）考核制度已做出相应的改革与调整。而且，随着改革开放的不断深入和社会经济体制的不断完善，传统的检测机构管理方式也在发生根本的变化。特别是客户（不仅是企业、社会团体，也包括政府）对检测机构的自主选择，促使检测机构必须面向市场，以客户为中心，不断加强科学的管理理念，提升现代化服务的观念，规范服务行为，提高服务质量。

为适应形势的需求，在深入学习和理解《产品质量检验机构计量认证／审查认可（验收）评审准则》（试行）和《水利质量检测机构计量认证评审准则》（SL309—2004）的基础上，密切结合水环境检测机构的特点，编写了本书，供水环境检测机构及相关读者使用。

本书共分 3 篇，第一篇以计量认证基本知识和质量体系的建立与运行为主要内容。为了使本书更具有针对性和使用价值，使读者更方便地查阅、借鉴和使用，编写了第二、三篇质量体系文件，该体系文件以水环境检测机构的主要检测业务和管理方式为基础，介绍了质量手册和程序文件的参考本，读者可根据实际情况增补或删减，以满足评审准则和实际管理工作的需求。

本书由张曙光、王金玲、曾永、郭正、王霞、李群编著完成。其中第一篇的第 1 章由张曙光、王金玲执笔，第 2 章由曾永、王霞执笔，第 3 章由王霞执笔，第 4 章由王霞、李群执笔，第 5 章由郭正、曾永执笔，第 6、第 7 章由郭正、李群执笔，第 8、第 9 章由王金玲执笔，第 10 章由王霞、李群执笔，第 11 章由王金玲、曾永执笔；第二篇质量手册由张曙光、王霞、李群执笔；第三篇程序文件由王金玲、郭正、曾永执笔。张曙光负责本书编写大纲的编制，并负责本书的统稿和审定。本书在编写过程中得到了领导和同志们多方面的关心、支持和帮助，在此一并表示衷心的感谢。

由于时间和编者水平有限，书中疏漏和不当之处在所难免，望读者给予批评指正。

编著者

2006 年 7 月

目　录

第二篇 质量手册

第三篇 程序文件

第一篇

质量体系建立与运行

第1章　计量认证的起始与发展

1.1　计量认证的起始

国际检测实验室认证制度起始于20世纪40年代。1946年，澳大利亚建立了全国测试机构协会(NATA)负责澳大利亚全国检测实验室认证工作，是国际上最早建立检测实验室认证体系的国家。随着科学技术的进步、生产力水平的提高和国际交往的日益频繁，特别是国际贸易的扩大，检测实验室认证制度给人们带来了可观的经济效益和社会效益，因而国际检测实验室认证工作得到了迅速发展，受到了各国政府和民间组织的关注。20世纪70年代，一些经济、技术发达的国家先后建立了全国性的检测实验室认证体系，正式确立了检测实验室认证制度。1976～1982年，美国、苏联、英国、法国、加拿大纷纷在国内筹建检测实验室认证组织。为了适应世界范围内检测实验室认证制度的发展，国际标准化组织(ISO)于1970年成立认证委员会，秘书处设在瑞士。认证委员会是国际标准化组织理事会下设的9个咨询委员会之一。随之，世界上出现了一个定期协商性质的国际性实验室认证会议(ILAC)，它是交流和讨论国家实验室认证和国际组织实验室认证问题的国际论坛。1980年我国以观察员的身份参加了在巴黎召开的第四次国际实验室认证会议，1981年在墨西哥城举行的第五次国际认证会议上，我国作为正式成员国参加了会议。但是我国实验室认证工作正式起步是在20世纪80年代中期。目前世界上的实验室认证系统有两种模式，第一种是由官方和民间团体联合成立的全国认证委员会；第二种是政府计量行政部门根据国家授权建立的认证体系，对实验室的检测能力提供国家级的认证。

20世纪80年代初期，随着我国对外开放和经济体制改革进程的不断加快，计划经济一统全国的局面逐渐被多种经济成分共存的新的社会主义市场经济模式所取代，政府管理部门对企业产(商)品的计划、生产、分配、销售等环节的垄断管理体制逐步被供需双方的供销合同机制所替代。因此，也就产生了供需双方的验货检验需求，同时政府管理部门对产(商)品的产、供、销管理职能转为对产(商)品的质量监督管理职能，进而形成政府对检验机构的需求。于是，在随后的几年里从国家到各行业、部门，从省(自治区、直辖市)到地、市、县相继成立了各级产(商)品质量监督检验机构，承担政府对产(商)品的质量监督抽查及验货、仲裁任务。为了规范这批新成立的产(商)品质检机构和依照其他法律法规设立的专业检验机构的工作行为，提高检验工作质量，国家计量局借鉴国外对检验机构(检测实验室)管理的先进经验，在1985年颁布《中华人民共和国计量法》时，规定了对检测机构的考核要求。1987年发布的《中华人民共和国计量法实施细则》中把对检测机构的考核称为计量认证。

《中华人民共和国计量法实施细则》实施后，国家计量局为规范计量认证工作，参照英国实验室认可机构(NAMAS)、欧共体实验室认可机构等国外认可机构对检验机构的考核标准，结合我国实际情况，制定了对检验机构计量认证的考核标准，在试点的基础上于 1987 年开始对我国的检验机构实施计量认证考核。经过 1987 ~ 1990 年对检验机构计量认证的考核实践，国家技术监督局(由国家计量局、国家标准局、国家经委质量局合并而成)发布了我国对检验机构计量认证的考核标准——《产品质量检验机构计量认证技术考核规范》(JJG1021—90)(参考采用 ISO / IEC 导则 25—1982)。该规范发布十余年来，经考核获得国家质量技术监督局颁发的国家计量认证合格证书(含自愿申请)的国家级和部委级检验机构有 1 800 多个，获省级质量技术监督部门颁发的省以下计量认证合格证书(含自愿申请)17 000 多个。

1.2 计量认证的发展和社会作用

近 20 年来，我国计量认证工作不断发展，已在社会上产生了很大影响，取得了良好的效果，受到了社会各界的普遍欢迎。经计量认证的检测机构承担了产品质量监督检验、质量仲裁检验、商贸验货检验、药品检验、防疫检验、环境检测、地质勘测、节能监测和进出口检验等大量的检验检测任务，为政府执法部门打击假冒伪劣产品提供了有力的技术保障，为审判机关裁决因产品质量引发的案件提供了准确的技术依据，为商业贸易双方提供了公正的检验结果，为工农业生产和工程项目出具了科学、准确、可靠的检测数据。

从整体上讲，计量认证工作为提高产品质量水平和全民质量意识、促进国家经济建设做出了不可磨灭的贡献。一方面，计量认证工作可以促进检测试验工作标准化、规范化，提高检测机构的管理水平和检测水平；另一方面，计量认证合格证书作为进入市场的准入证，可以为检测机构进入市场拓宽业务领域创造良好条件。与此同时，计量认证工作也为政府、社会和用户所接受和认可，计量认证已广为人知，CMA(China Metrology Accreditation)已成为国内社会公认的评价检验机构的重要标志。在产品质量检验和检测领域，已将计量认证列为检验市场准入的必要条件，随着时间的推移，计量认证工作仍将继续为我国产品和工程质量检验事业做出更大的贡献。我国加入世界贸易组织后，计量认证工作作为保护国内检测市场的一种技术壁垒，也发挥着越来越重要的作用。

第 2 章　计量认证的法律依据和适用范围

2.1　计量认证的法律依据和法律效力

我国计量认证工作的法律依据是《中华人民共和国计量法》。《中华人民共和国计量法》第二十二条规定："为社会提供公证数据的产品质量检验机构，必须经省级以上人民政府计量行政部门对其计量检定、测试的能力和可靠性考核合格。"其立法原意在于对为社会提供公证数据的产品质量检验机构实施计量监督，即要通过严格的技术考核，确认其是否真正具备同检验工作相适应的计量检定、测试能力和可靠性。因此，计量认证是一项技术性很强的法制监督工作。

《中华人民共和国计量法实施细则》中把《中华人民共和国计量法》第二十二条规定称为计量认证，并用整整 1 章共 5 条的篇幅对计量认证作了明确规定，即第七章产品质量检验机构的计量认证。第三十二条规定："为社会提供公证数据的产品质量检验机构，必须经省级以上人民政府计量行政部门计量认证。"第三十三条规定："产品质量检验机构计量认证的内容：(一)计量检定、测试设备的性能；(二)计量检定、测试设备的工作环境和人员的操作技能；(三)保证量值统一、准确的措施及检测数据公正可靠的管理制度。"第三十四条规定："产品质量检验机构提出计量认证申请后，省级以上人民政府计量行政部门应指定所属的计量检定机构或者被授权的技术机构按本细则第三十三条规定的内容进行考核。考核合格后，由接受申请的省级以上人民政府计量行政部门发给计量认证合格证书，未取得计量认证合格证书的，不得开展产品质量检验工作。"第三十五条规定："省级以上人民政府计量行政部门有权对计量认证合格的产品质量检验机构，按照本细则第三十三条规定的内容进行监督检查。"第三十六条规定："已经取得计量认证合格证书的产品质量检验机构，需新增检验项目时，应按照本细则有关规定，申请单项计量认证。"《中华人民共和国计量法实施细则》第五十五条还规定："未取得计量认证合格证书的产品质量检验机构，为社会提供公证数据的，责令其停止检验，并处一千元以下的罚款。"

此外，《产品质量检验机构计量认证管理办法》用 6 章 25 条以规章的形式对计量认证工作作了进一步规定。由于计量认证是依法实施的对社会提供公证数据的质检机构进行评审的认证(政府行为)，因此在"管理办法"第四条中明确规定："经计量认证合格的产品质量检验机构所提供的数据，用于贸易出证、产品质量评价、成果鉴定作为公证数据，具有法律效力。"为了保证计量认证的水平，"管理办法"第十八条中指出："经计量认证合格的产品质量检验机构，由与其主管部门同级的人民政府计量行政部门进行日常监督。对不符合原考核条件的，必须限期改进，在改进期内，不得向社会提供公证数据。超过改进期仍不能达到原考核水平的，由发证单位注销其计量认证合格证书，停止使用计量认证标志。"计量认证工作遵循法律、法规的规定形成严格的闭环。

法律、法规严格要求凡是为社会提供公证数据、作为第三方的产品质量检验机构，它的可信赖性必须以下列条件为前提：①要独立于制造、销售或至少相对独立于研究、开发之外，真正处于公正的地位；②要具有适应评价产品质量优劣所需要的技术手段；③出具的检定、测试数据的可靠性，要能得到社会的承认。总之，它取决于产品质量检验机构是否具备计量检定、测试的能力，是否能提供科学、准确、可靠的数据，是否能保证各方的正当利益。确认其可信赖性和可靠性，必须凭科学数据说话。《中华人民共和国计量法》中所称的"公证数据"，是指面向社会从事检测工作的技术机构为他人做决定、仲裁、裁决时所出具的可引起一定法律后果的数据，即除了具有真实性和科学性外，还具有合法性。公证数据的准确可靠，必须溯源于计量基准和社会公用计量标准。产品质量检验机构经过计量认证后，出具的检测数据，在用于贸易出证、产品质量评价和成果鉴定方面，具有法律效力，不仅在国内可赢得社会的信誉，而且在国际上也容易得到双边或多边的相互承认，有利于提高本国企业参加国际竞争的能力。因此，计量认证的法律效力可归纳为以下 4 点。

(1)在计量认证法律法规体系中占有相当重要的地位，即从法律法规、部门规章中均有明确的规定来体现。

(2)"为社会提供公证数据的产品质量检验机构，必须经省级以上人民政府计量行政部门对其计量检定、测试能力和可靠性考核合格"，是指未取得计量认证合格证书的，不得开展产品质量检验工作，表明这项工作是强制性的政府行为。

(3)计量认证定位在省级以上的政府计量行政部门考核合格，才有资格为社会提供公证数据，这同计量工作的其他方面不一样，表明政府对这项工作行使的权限是严格控制的。

(4)强制要求产品质量检验机构的量值必须溯源到国家计量基准，最高等级的计量标准也应取得法定的资格，以保证国家单位量值的统一、准确可靠。

综上所述，为社会提供公证数据的产品质量检验机构必须获得省级以上人民政府计量行政部门的计量认证证书，这是我国法律、法规的强制性要求。

2.2 计量认证的内容与对象

计量认证是我国通过计量立法，对凡是为社会出具公证数据的检验机构(实验室)进行强制考核的一种手段,也可以说计量认证是具有中国特色的政府对实验室的强制认可。《中华人民共和国计量法实施细则》中明确规定，为社会提供公证数据的产品质量检验机构，必须经省级以上人民政府计量行政部门计量认证。计量认证的内容如下。

(1)计量检定、测试设备的配备及其准确度、量程等技术指标，必须与检验的项目相适应，其性能必须稳定可靠并经检定或校准合格。

(2)计量检定、测试设备的工作环境，包括温度、湿度、防尘、防震、防腐蚀、抗干扰等条件，均应适应测试工作的需要。

(3)使用计量检定、测试设备的人员，应具备计量基本知识、环境监测专业知识和实际操作经验，其理论知识和操作技能必须考核合格。

(4)环境监测机构应具有保证量值统一，量值溯源和量值传递准确、可靠的措施及检测数据公正可靠的管理制度。

(5)测试样品的时空代表性、采样的频次、样品的保管与运输等应该符合检测技术规范的要求。

《计量认证／审查认可评审准则》中计量认证的评审内容包含 13 个要素：①组织和管理；②质量体系、审核和评审；③人员；④设施和环境；⑤仪器设备和标准物质；⑥量值溯源和校准；⑦检验方法；⑧检验样品的处置；⑨记录；⑩证书和报告；⑪检验的分包；⑫外部支持服务和供应；⑬抱怨。

计量认证的对象一般包括：

(1)各级质量技术监督行政部门依法设置或授权的产品质量检验机构。

(2)经各级人民政府有关行业主管部门批准，为社会提供公证数据的产品质量检验机构。

(3)已取得计量认证合格证书的产品质量检验机构，需增设检验项目时，应申请扩项计量认证。

(4)自愿申请为社会出具公证数据的各类科研、检测实验室。

第3章　计量认证的目的、意义和特点

3.1　计量认证的目的和意义

计量认证是指省级以上人民政府计量行政部门根据《中华人民共和国计量法》的规定，对产品质量检验机构(包括自愿申请的、为社会出具公证数据的各类检测机构或实验室，以下简称检测机构或实验室)的计量检定、测试能力和可靠性、公正性进行的考核。这种考核统一依据《计量认证／审查认可(验收)评审准则》(简称《评审准则》)、遵循规范的程序并通过注册评审员和技术专家所进行的第三方评审。经计量认证合格的质检机构所出具的数据，可作为贸易出证、产品质量评价、成果鉴定的公证数据，具有法律效力。

检测机构申请计量认证的目的：一是要建立检测机构出具公证数据的技术权威和合法地位，真正做到把公正、准确、可靠的计量检测数据作为产品质量评价、科学成果鉴定等工作的基础和依据；二是通过计量认证，提高检测机构的管理能力、检测技术水平和第三方公正性，进一步为完善质量体系、持续改进质量创造条件，以提高其知名度和竞争力；三是保障全国计量单位制的统一和量值的准确可靠，为国际间检测数据的相互承认、与国际接轨创造条件。

这几方面与检测机构要达到的目的是一致的，其出发点也是吻合的。因此，计量认证会更加强化环境监测机构的规范化、科学化和标准化管理，提高监测数据的可靠性和准确性。

3.2　计量认证工作的特点

产品检测机构计量认证是由省级以上人民政府计量行政部门根据《中华人民共和国计量法》的规定，依据统一的《评审准则》，并遵循规范的程序组织进行的，通过注册评审员和技术专家对实验室进行的第三方评审，从而对实验室技术能力和管理水平所做出的一种正式评价。对于满足要求即通过评审合格的检测机构，由政府计量行政部门予以批准发证，正式承认检测机构对指定范围的检测项目具备相应的能力和资格。

计量认证工作具有以下几方面的特点。

(1)坚持专家评审原则。指派注册评审员和训练有素的技术专家承担评审并对评审结果负责，是第三方认证，而不是行政干预，以确保评审结果的权威性、科学性、客观性和公正性。

(2)坚持技术(人员、设备、方法、环境条件、检测工作等)考核与管理工作(质量管理体系建立、质量管理体系文件及其有效运行等)考核相结合的原则，使得通过计量认证的检测机构所出具的检测报告在社会上具有更高的信任度和权威性。

(3)坚持非歧视性原则。质检机构不论其规模大小、级别高低、隶属关系、所有制性质等，均以《评审准则》为依据，一视同仁。

(4)坚持采取考核与帮、促相结合的工作方法，使得质检机构通过计量认证活动，有助于完善实验室的质量管理体系，从而有利于进一步提高其在开放的检测市场中的竞争能力。

计量认证是一种资格认证，并不代表授权。

第4章　常用术语和定义

4.1　质量管理和标准化

1)质量方针(quality policy)

质量方针是由某组织的最高管理者正式发布的该组织的质量宗旨和质量方向。

质量方针是总方针的一个组成部分，由最高管理者批准。

2)质量管理(quality management)

质量管理是指确定质量方针、目标和职责并在质量体系中通过诸如质量策划、质量控制、质量保证和质量改进使其实施全部管理职能的所有活动。

(1)质量管理是各级管理者的职责，但必须由最高管理者领导。质量管理的实施涉及到组织中所有成员。

(2)在质量管理中要考虑到经济性的因素。

3)质量控制(quality control)

质量控制是为达到质量要求所采取的作业技术和活动。

(1)质量控制包括作业技术和活动，其目的在于监视过程并排除质量环节中导致不满意的原因，以取得经济效益。

(2)质量控制和质量保证的某些活动是相互关联的。

4)质量保证(quality assurance)

质量保证是指为了提供足够的信任表明实体能够满足质量要求，而在质量体系中实施并根据需要进行证实的全部有计划和有系统的活动。

(1)质量保证有内部和外部的两种目的。①内部质量保证：在组织内部，质量保证向管理者提供信任。②外部质量保证：在合同或其他情况下，质量保证向顾客或他方提供信任。

(2)质量控制和质量保证的某些活动是相互关联的。

(3)只有质量要求全面反映了用户的要求，质量保证才能提供足够的信任。

5)质量体系(quality system)

质量体系是指为实施质量管理所需的组织结构、程序、过程和资源。

(1)质量体系的内容应以满足质量目标的需要为准。

(2)一个组织的质量体系，主要是为满足该组织内部管理的需要而设计的。它比特定顾客的要求更为广泛，顾客仅仅评价质量体系中的有关部分。

(3)为了合同或强制性质量评价的目的，可要求对已确定的质量体系要素的实施进行证实。

6)管理评审(management review)

管理评审是由最高管理者就质量方针和目标，对质量体系的现状和适应性进行的正式评价。

(1)管理评审可以包括质量方针评审。

(2)质量审核的结果可作为管理评审的一种输入。

(3)“最高管理者”指的是其质量体系受到评审的组织的管理者。

7)合同评审(contract review)

合同评审是指合同签订前，为了确保质量要求规定得合理、明确并形成文件，且供方能实现，由供方所进行的系统的活动。

(1)合同评审是供方的职责，但可以与顾客联合进行。

(2)合同评审可以根据需要在合同的不同阶段重复进行。

8)质量手册(quality manual)

质量手册是阐明一个组织的质量方针并描述其质量体系的文件。

(1)质量手册可以设计一个组织的全部活动或部分活动。质量手册的标题和范围反映其应用的领域。

(2)质量手册通常至少应包括或涉及以下几个方面：①质量方针；②影响质量的管理、执行、验证或评审工作人员的职责、权限和相互关系；③质量体系程序和说明；④关于质量手册评审、修改和控制的规定。

(3)质量手册在深度和形式上可以不同，以适应组织的需要。它可以由几个文件组成。根据手册的范围，可以使用限定词，如“质量保证手册”、“质量管理手册”。

9)质量计划(quality plan)

质量计划是针对特定的产品、项目或合同，规定专门的质量措施、资源和活动顺序的文件。

(1)质量计划通常参照质量手册中适用于特定情况的有关部分。

(2)根据质量计划的范围，可以使用限定词，如“质量保证计划”、“质量管理计划”。

10)质量审核(quality audit)

质量审核是指确定质量活动和有关结果是否符合计划的安排，以及这些安排是否有效地实施并适合于达到预定目标的、系统的、独立的检查。

(1)质量审核一般用于(但不限于)对质量体系或其要素、过程、产品和服务的审核。上述这些审核通常称为“质量体系审核”、“过程质量审核”、“产品质量审核”和“服务质量审核”。

(2)质量审核应由与被审核领域无直接责任的人员进行，但最好在有关人员的配合下进行。

(3)质量审核的一个目的，是评价是否需采取改进或纠正措施。审核不能和旨在解决过程控制或产品验收的“质量监督”或“检验”相混淆。

(4)质量审核可以是为内部或外部的目的而进行的。

11)组织结构(organization structure)

组织结构指组织为行使其职能按某种方式建立的职责、权限及其相互关系。

12)程序(procedure)

程序是指为进行某项活动所规定的途径。

13)过程(process)

过程是指将输入转化为输出的一组彼此相关的资源和活动。

14)规范(specification)

规范就是阐明要求的文件。

(1)应使用限定词以表明规范的类型，如“产品规范”、“试验规范”。

(2)“规范”应涉及或包括图样、模样或其他有关文件，并指明用以检查合格与否的方法与准则。

15)技术规范(technical specification)

技术规范是指规定产品或服务特性的文体。例如，质量水平、性能、安全或尺寸。它可以包括或只涉及术语、符合、检测或试验方法、包装、标识或标签的要求。

16)标准(standards)

标准是指为促进最佳的共同利益，在科学、技术、经验成果的基础上，由各有关方面合作起草并协商一致或基本同意而制定的适于公用且经标准化机构批准的技术规范和其他文件。

(1)满足定义中所有条件的文件，有时可能称为其他名称，例如“建议”。

(2)在某些语言中，“标准”一词经常具有其他含义，它可以指不符合本定义全部条件的技术规范，例如“公司标准”。

17)预防措施(preventive action)

预防措施是指为防止潜在的不合格、缺陷或其他不希望的情况发生，消除其原因所采取的措施。

预防措施可以包括诸如程序和体系的更改，以实现质量环中任一阶段的质量改进。

18)纠正措施(corrective action)

纠正措施是指为防止已出现的不合格、缺陷或其他不希望的情况再次发生，消除其原因所采取的措施。

(1)这种措施可以包括诸如程序和体系等的更改，以实现质量环中任一阶段的质量改进。

(2)“纠正”和“纠正措施”的区别是：“纠正”是指返修、返工或调整，涉及对现有的不合格所进行的处置；“纠正措施”涉及消除产生不合格的原因。

19)合格(conformity)

合格就是指满足规定的要求。

上述定义仅适用于质量标准。ISO / IEC 导则 2 对合格有不同的定义。

20)不合格(nonconformity)

不合格是指没有满足某个规定的要求。

该定义包括一个或多个质量特性(包括可信性特性)或质量体系要素偏离了规定要求。

21)缺陷(defect)

缺陷是指没有满足某个预期的使用要求或合理的期望，包括与安全性有关的要求。在现有条件下，期望必须是合理的。

4.2 法制计量

1)法制计量(legal metrology)

法制计量是计量的一部分，即与法定计量机构所执行工作有关的部分，涉及到对计量单位、测量方法、测量设备和测量实验室的法定要求。

2)法定(计量)单位(legal unit (of measurement))

法定(计量)单位是指国家法律承认、具有法定地位的计量单位。

3)法定计量机构(service of legal metrology)

法定计量机构是指负责在法制计量领域实施法律和法规的机构。

法制计量机构可以是政府机构，也可以是国家授权的其他机构。其主要任务是执行计量控制。

4)计量监督(metrological supervision)

计量监督是指为核查计量器具是否依照计量法律、法规正确使用和诚实使用，而对计量器具制造、安装、修理或使用进行控制的程序。

这种监督也可扩展到对预包装品上指示量正确性的控制。

5)(计量器具的)检定(verification (of ameasuring instrument))

(计量器具的)检定就是查明和确认计量器具是否符合法定要求的程序，它包括检查、加标记和(或)出具检定证书。

6)首次检定(initial verification)

首次检定指对未曾检定过的新计量器具进行的第一次检定。

7)后续检定(subsequent verification)

后续检定是指计量器具首次检定后的任何一次检定，它包括：

(1)强制性的周期检定。

(2)修理后的检定。

(3)周期检定有效期内进行的检定，不论它是由用户提出的请求，或者由于其他某种理由，在有效期内封印不再有效。

8)周期检定(periodic verification)

周期检定是指按时间间隔和规定程序，对计量器具定期进行的一种后续检定。

9)检定证书(verification certificate)

检定证书是证明计量器具已经经过检定并获满意结果的文件。

10)不合格通知书(rejection notice)

不合格通知书是声明计量器具不符合有关法定要求的文件。

11)计量确认(metrolgy confirmation)

计量确认是为确保测量设备处于满足预期使用要求的状态所需要的一组操作。

12)溯源等级图(hierarchy scheme)

溯源等级图是一种代表等级顺序的框图，用以表明计量器具的计量特性与给定量的基准之间的关系。

溯源等级图是对给定量或给定型号计量器具所用的比较链的一种说明，以此作为其溯源性的证据。

13)(计量器具的)检查(examination (of a measuring instrument))

(计量器具的)检查是为确定计量器具是否符合该器具有关法定要求所进行的操作。

14)检验(inspection)

检验是通过观察和判断，必要时结合测量、试验或估计所进行的符合性评价。

15)(计量用具的)检验(inspection (of a measuring instrument))

(计量用具的)检验是为查明计量器具的检定标记或检定证书是否有效、保护标记是否损坏、检定后计量器具是否遭到明显改动以及其误差是否超过使用中最大允许误差所进行的一种检查。

4.3 测量和计量

1)量值(value of a quantity)

量值一般由一个数乘以测量单位表示特定量的大小。

对于不能用一个数乘以测量单位来表示的量，可用参照约定参考标尺，或参照测量程序，或两者都参照的方式表示。

2)(量的)真值(true value (of a quantity))

(量的)真值是指与给定的特定量含义一致的值。

(1)(量的)真值只有通过完善的测量才有可能获得。

(2)真值按其本性是不确定的。

(3)与给定的特定量定义一致的值不一定只有一个。

3)(量的)约定真值(conventional true value (of a quantity))

(量的)约定真值是对于给定目的的具有适当不确定度、赋予特定量的值，有时该值是约定采用的。

(1)约定真值有时称为指定值、最佳估计值、约定值或者参考值。

(2)常常用某量的多次测量结果来确定约定真值。

4)测量(measurement)

测量就是以确定量值为目的的一组操作。

5)测量程序(measurement procedure)

测量程序(有时被称为测量方法)指进行特定测量时所用的、根据给定的测量方法具体叙述的一组操作。

测量程序通常记录在文件中，并且足够详细，以使操作者在进行测量时不再需要补充资料。

6)测量方法(method of measurement)

测量方法指进行测量时所用的、按类别叙述的逻辑操作次序。

测量方法可按不同方式分类，如替代法、微差法、零位法。

7)计量(metrology)

计量是指为实现单位统一、量值准确可靠而进行的活动。

8)计量特性(metrology identity)

计量特性是指能影响测量结果的可区分的特征。

(1)测量设备通常有若干个计量特性。

(2)计量特性可作为校准的对象。

9)被测量(measurand)

被测量指作为测量对象的特定量。

对被测量的详细描述，可要求对其他有关量(如时间、温度和压力)做出说明。

10)影响量(influence quantity)

影响量是指不被测量但对测量结果有影响的量。

4.4 测量仪器及其特性

1)测量仪器／计量器具(measuring instrument)

测量仪器／计量器具是指单独地或连同辅助设备一起用以进行测量的器具。

2)实物量具(material measure)

实物量具指使用时以固定形态复现或提供给定量的一个或多个已知值的器具。

例如：①砝码；②(单值或多值、带或不带标尺的)量器；③标准电阻；④量块；⑤标准信号发生器；⑥参考物质。

这里的给定量亦称供给量。

3)测量系统(measuring system)

测量系统就是组装起来进行特定测量的全套测量仪器和其他设备。

(1)测量系统可以包含实物量具和化学试剂。

(2)固定安装着的测量系统称为测量装备。

4)测量设备(measuring equipment)

测量设备是测量仪器、测量标准、参考物质、辅助设备以及进行测量所必需的资料的总称。

5)标称范围(nominal range)

标称范围指测量仪器操纵器件调到特定位置时可得到的示值范围。

(1)标称范围通常用它的上限和下限表示，例如：100 ~ 200℃。若下限为零，标称范围一般只用其上限表明，例如：0 ~ 100 V 的标称范围可表示为 100 V。

(2)参见“量程”的内容。

6)量程(span)

量程就是标称范围两极限之差的模。

在有些知识领域中，最大值与最小值之差称为范围。

7)标称值(nominal value)

标称值是测量仪器上表明其特性或指导其使用的量值，该值为圆整值或近似值。

例如标在标准电阻上的量值：100 Ω；标在单刻度量杯上的量值：1 L。

8)测量范围(measuring range)

测量范围是指测量仪器的误差处在规定极限内的一组被测量的值。

(1)按约定真值确定误差。

(2)参见“量程”的内容。

9)额定操作条件(rated operating conditions)

测量仪器的规定计量特性处于给定极限内的使用条件称为额定操作条件。

额定操作条件一般规定了被测量和影响量的范围或额定值。

10)极限条件(limiting conditions)

极限条件指测量仪器的规定计量特性不受损也不降低，其后仍可在额定操作条件下运行而能承受的极端条件。

(1)贮存、运输和运行的极限条件可以各不相同。

(2)极限条件可包括被测量和影响量的极限值。

11)参考条件(reference conditions)

参考条件指为测量仪器的性能试验或为测量结果的相互比较而规定的使用条件。

参考条件一般包括作用于测量仪器的影响量的参考值或参考范围。

12)灵敏度(sensitivity)

测量仪器响应的变化除以对应的激励变化称为灵敏度。

灵敏度可能与激励值有关。

13)鉴别力(discrimination)

鉴别力指使测量仪器产生未察觉的响应变化的最大激励变化，这种激励变化应缓慢而单调地进行。

14)(显示装置的)分辨力(resolution (of a displaying device))

显示装置能有效辨别的最小的示值差称为分辨力。

(1)对于数字式显示装置，就是当变化一个末位有效数字时其示值的变化。

(2)此概念亦适用于记录式装置。

15)稳定性(stability)

测量仪器保持其计量特性随时间恒定的能力称为稳定性。

(1)若稳定性不是对时间而是对其他量而言，则应该明确说明。

(2)稳定性可以用几种方式定量表示，例如：①用计量特性变化某个规定的量所经过的时间表示；②用计量特性经规定的时间所发生的变化表示。

16)测量仪器的准确度(accuracy of a measuring instrument)

测量仪器的准确度指测量仪器给出接近于真值的响应的能力。

准确度是定性的概念。

17)准确度等级(accuracy class)

准确度的等级指符合一定的计量要求，使误差保持在规定极限以内的测量仪器的等别、级别。

准确度等级通常按约定注以数字或符号，并称为等级指标。

18)测量仪器的(示值)误差(error (of indication) of a measuring instrument)

测量仪器的(示值)误差指测量仪量示值与对应输入量的真值之差。

(1)由于真值不能确定，实际上用的是约定真值。

(2)此概念主要应用于与参考标准相比较的仪器。

(3)就实物量具而言，示值就是赋予它的值。

19)(测量仪器的)最大允许误差(maximem permissible error (of a measuring instrument))

对给定的测量仪器，规范、规程等所允许的误差极限值称为(测量仪器的)最大允许误差。

有时也称测量仪器的允许误差限。

20)(测量仪器的)固有误差(intrinsic error (of a measuring instrument))

在参考条件下确定的测量仪器的误差称为(测量仪器的)固有误差。

21)(测量仪器的)重复性(repeatability (of a measuring instrument))

(测量仪器的)重复性指在相同测量条件下，重复测量同一个被测量，测量仪器提供相近示值的能力。

(1)这些条件包括：相同的测量程序；相同的观测者；在相同条件下使用相同的测量设备；在相同地点；在短时间内重复。

(2)重复性可用示值的分散性定量地表示。

22)(测量仪器的)引用误差(fiducial error (of a measuring instrument))

测量仪器的误差除以仪器的特定值称为(测量仪器的)引用误差。

该特定值一般称为引用值，例如，可以是测量仪器的量程或标称范围的上限。

4.5 测量标准和基准

1)(测量)标准((measurement) standard etalon)

(计量)基准、标准

为了定义、实现、保存或复现量的单位或一个、多个量值，用做参考的实物量具、测量仪器、参考物质或测量系统。

例如：①1 kg 质量标准；②100 Ω 标准电阻；③标准电流表；④铯频率标准；⑤标准氢电极；⑥有证的血浆中可的松浓度的参考溶液。

(1)一组相似的实物量或测量仪器，通过它们的组合使用所构成的标准称为集合标准。

(2)一组其值经过选择的标准，它们可单个使用或组合使用，从而提供一系列同种量的值，称为标准组。

2)国际(测量)标准(international (measurement) standard)

国际(计量)基准

国际(测量)标准指经国际协议承认的测量标准，在国际上作为对有关量的其他测量标准定值的依据。

3)国家(测量)标准(national (measurement) standard)

国家(计量)基准

国家(测量)标准指经国家决定承认的测量标准，在一个国家内作为有关量的其他测量标准定值的依据。

4)基准(primary standard)

基准是指具有最高的计量学特性，其值不必参考相同量的其他标准，被指定的或普遍承认的测量标准。

基准的概念同样适用于基本量和导出量。

5)次级标准(secondary standard)

次级标准指通过与相同量的基准比对而定值的测量标准。

有时副基准、工作基准亦称次级标准。

6)参考标准(reference standard)

参考标准是指在给定地区或给定组织内，通常具有最高计量学特性的测量标准，在该处所做的测量均从它导出。

7)工作标准(working standard)

工作标准指用于日常校准或核查实物量具、测量仪器或参考物质的测量标准。

(1)工作标准通常用参考标准进行校准。

(2)用于确保日常测量工作正确进行的工作标准称为核查标准。

8)传递标准(transfer standard)

在测量标准相互比较中用做媒介的测量标准称为传递标准。

当媒介不是测量标准时，应该用术语传递装置。

9)搬运式标准(travelling standard)

搬运式标准指供运输到不同地点，有时具有特殊结构的测量标准。

例如由电池供电的便携式铯频率标准。

10)溯源性(traceability)

溯源性指通过一条具有规定不确定度的不间断的比较链，使测量结果或测量标准的值能够与规定的参考标准(通常是与国家测量标准或国际测量标准)联系起来的特性。

(1)此概念常用形容词“可溯源”表述。

(2)这条不间断的比较链为溯源链。

11)参考物质(reference material (RM))

标准物质

参考物质指具有一种或多种足够均匀的、确定了特性，用以校准测量装置、评价测量方法或给材料赋值的材料或物质。

参考物质可以是纯的或混合的气体、流体或固体。例如化学分析校准用的溶液等。

12)有证参考物质(certified reference material (CRM))

有证标准物质

有证参考物质指附有证书的参考物质，某一种或多种特性值用建立了溯源性的程序确定，使之可溯源到准确复现的表示该特性值的测量单位，每一种出证的特性值都附有给定置信水平的不确定度。

(1)有证参考物质一般成批制备，其特性值是通过对代表整批物质的样品进行测量而确定，并具有规定的不确定度。

(2)当物质与特制的器件结合时，例如已知三相点的物质装入三相点瓶、已知光密度的玻璃组装成透射滤光片、尺寸均匀的球状颗粒安放在显微镜载片上，有证参考物质的特性有时可方便和可靠地确定。上述这些器件也可以认为是有证参考物质。

(3)所有有证参考物质均应符合测量标准的含义。

(4)有些参考物质和有证参考物质，由于不能和已确定的化学结构相关联，或出于其他原因，其特性不能按严格规定的物理和化学测量方法确定。这类物质包括某些生物物质(如疫苗)，世界卫生组织已经规定了它们的国际单位。

第5章　法定计量单位

世界各国为避免经济活动中计量制度的混乱，对统一计量制度历来都十分重视。我国历史上也有很多统一度、量、衡制度的记载。新中国成立初期，各种不同的计量单位并存，杂乱无章。国务院于1959年6月发布了《关于统一计量制度的命令》，整顿和统一计量单位制度，确定以米制为我国的基本计量制度，在全国范围内推广米制、改革市制、限制英制和废除旧杂制，取得了显著成绩。随着社会经济的发展、科学技术的进步以及对外交流的扩大，国务院决定在采用先进的国际单位制的基础上，进一步统一我国的计量单位，在1977年颁布了《中华人民共和国计量管理条例(试行)》，明确规定了要逐步采用国际单位制，并公布了《中华人民共和国计量单位名称与符号方案(试行)》；1984年1月国务院第21次常务会议讨论通过了国家计量局《关于在我国统一实行法定计量单位的请示报告》、《全面推行我国法定计量单位的意见》和《中华人民共和国法定计量单位》。

1985年9月6日，《中华人民共和国计量法》以中华人民共和国主席令第28号发布实施，计量法的制定对保障国家计量单位制的统一和量值的准确可靠，生产、贸易和科学技术的发展，适应社会、经济的需要，维护国家、人民的利益，具有十分重要的意义。

5.1　法定计量单位的构成

《中华人民共和国计量法》明确规定："国家采用国际单位制。国际单位制计量单位和国家选定的其他计量单位，为国家法定计量单位。国家法定计量单位的名称、符号由国务院公布。"国际单位制是我国法定计量单位的主体，国际单位制如有变化，我国法定计量单位也将随之变化。

5.1.1　国际单位制

5.1.1.1　国际单位制的产生

随着人类社会生产、交换、贸易等经济活动的产生、发展和扩大，计量单位在工业、农业、商业交易、科学研究等方面得到了广泛的应用，它的制定、统一和稳定日趋重要。多种计量制度并存的情况，无法维护正常的社会、经济和生产活动的秩序，阻碍了社会的进步、经济的发展和贸易往来。

1875年5月20日，17个工业国家的代表在法国巴黎签署了《米制公约》，同意使用十进制的米制计量单位，以简化国家间的贸易、结算及计量，此次会议勾画了未来世界计量的发展方向和框架。与此同时，成立了国际计量委员会和国际计量局(BIPM)，并由BIPM负责保持米、千克等最重要的计量单位。在这之后召开的多次国际计量大会陆续做出多项重要决议：决定采用7个彼此独立的单位作为“实用单位制”的基本单位，规定这种实用计量单位制的名称为国际单位制，简称为SI，并制定了词头、导出单位和辅助单位的规则以及其他一些规定。经过多次的修订，现已形成完整的体系，建立起了更为科学、简便、实用的单位制。

目前，已有 48 个国家签署了《米制公约》，我国于 20 世纪 70 年代末签署了这一公约。现今的国际单位制已被各国普遍接受。计量单位制的统一，推动了各国的经济建设、科技进步和社会发展，得到了广泛的承认，已被应用于众多领域和各行各业。

我国的法定计量单位，是以国际单位制的单位为基础，它包括国际单位制的基本单位、国际单位制中具有专门名称的导出单位、国际单位制的辅助单位、国家选定的非国际单位制单位等。

5.1.1.2 国际单位制的组成

国际单位制包括 SI 单位和 SI 单位的倍数单位。SI 单位是国际单位制中由基本单位和导出单位构成一贯单位制的那些单位。除质量外，均不带 SI 词头(质量的 SI 单位为千克)。SI 单位的倍数单位包括 SI 单位的十进倍数单位和分数单位，国际单位制的组成如图 5-1 所示。

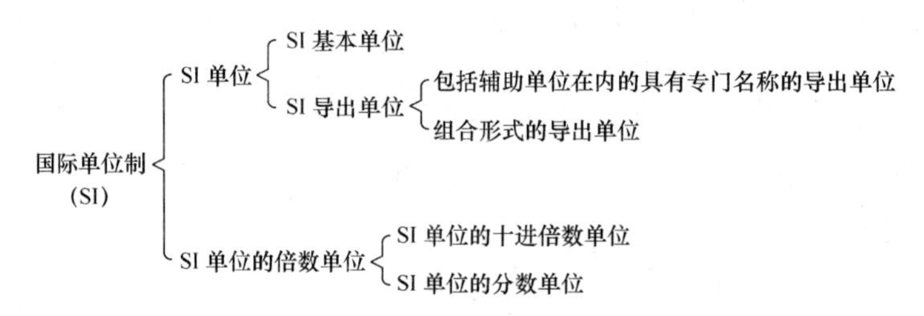

图 5-1 国际单位制的组成

5.1.1.3 SI 基本单位

第 11 届国际计量大会选择了 7 个在函数关系上彼此独立的量：长度、质量、时间、电流、热力学温度、物质的量和发光强度作为基本量，对其规定了 7 个准确定义、在量纲上无相互关联的单位作为国际单位制的基础，即米、千克、秒、安培、开尔文、摩尔、坎德拉，详见表 5-1。

表 5-1 国际单位制基本单位

量的名称	单位名称	单位符号
长度	米	M
质量	千克	kg
时间	秒	s
电流	安培	A
热力学温度	开尔文	K
物质的量	摩尔	mol
发光强度	坎德拉	cd

5.1.1.4 SI 基本单位的定义

米：光在真空中 1 / 299 792 458 s 时间内所经过路径的长度(第 17 届国际计量大会，

1983)。

千克：国际千克原器的质量(第 1 届国际计量大会，1889；第 3 届国际计量大会，1901)。

秒：铯–133 原子基态的两个超精细能级之间跃迁所对应的辐射的 9 192 631 770 个周期的持续时间(第 13 届国际计量大会，1967)。

安培：截面面积可忽略的两根相距 1 m 的无限长平行圆直导线在真空中导通等量恒定电流时，若两导线间相互作用产生的力在每米长度上等于 2×10^{-7} N，则每根导线中的电流为 1 A(国际计量委员会，1946；第 9 届国际计量大会，1948)。

开尔文：水三相点热力学温度的 1 / 273.16(第 13 届国际计量大会，1967)。

摩尔：一系统的物质的量，该系统中所包含的基本单元(原子、分子、离子、电子及其他粒子，或这些粒子的特定组合)数与 0.012 kg 碳–12 的原子数目相等(第 14 届国际计量大会，1971)。

坎德拉：一光源在给定方向上的发光强度，该光源发出频率为 540×10^{12} Hz 的单色辐射，在此方向上的辐射强度为 1 / 683 W 每球面度(第 16 届国际计量大会，1979)。

为避免“重量”一词在通常使用中意义上发生混乱，第 3 届国际计量大会特别规定“千克是质量的单位”。

第 14 届国际计量大会同时规定：使用摩尔时，基本单元必须予以指明，可以是原子、分子、离子、电子或其他粒子，或者是这些粒子的特定组合。在摩尔定义中所参照的应是非结合的、静止的、处于基态的碳–12 原子。

5.1.1.5 SI 导出单位

导出单位是按照一贯性原则，用 SI 基本单位以代数形式表示的单位。这种单位符号中的乘和除采用数学符号。如速度的 SI 单位为米每秒(m / s)，通常称这种形式的单位为组合单位。

同一组合单位可以用于几个不同的量，如焦尔每开尔文既是热容量的 SI 单位，又是熵的 SI 单位。因此，单位的名称不足以确定被测量，在实际应用中，应明确有关的被测量。

对某些 SI 导出单位，国际计量大会通过了专门的名称和符号。使用这些专门名称以及用它们表示其他导出单位，往往更为方便、明确。SI 导出单位中弧度和球面度称为 SI 辅助单位，考虑到通常以两个长度之比来表示平面角，而以面积与长度的平方之比来表示立体角，国际计量委员会专门指出，在国际单位制中，辅助单位弧度和球面度是具有专门名称和符号的无量纲导出单位。

除了具有专门名称的SI导出单位外,其他SI导出单位都称为组合形式的SI导出单位，如角速度的 SI 单位弧度每秒(rad / s)、力矩的 SI 单位牛顿米(N · m)、流速的 SI 单位米每秒(m / s)、流量的 SI 单位立方米每秒(m^3 / s)等。

几种类型的导出单位如表 5-2、表 5-3 所示。

5.1.1.6 SI 单位的倍数单位

由于在实际工作中得到的数据范围比较广，只用 SI 单位来表示测量值往往很不方便，也容易引起数值判断上的混乱。考虑到上述情况，1960 年的第 11 届国际计量大会通过了构成 SI 单位的十进倍数与十进分数的第一批词头名称及其符号。后经多次补充，现共有 20 个构成十进倍数和十进分数单位的词头及所表示的因数得到国际计量大会的批准。表 5-4 给出了 SI 词头的名称、简称及符号。

表 5-2 包括 SI 辅助单位在内的具有专门名称的 SI 导出单位

量的名称	SI 导出单位		
	名称	符号	用 SI 基本单位和 SI 导出单位表示
[平面]角	弧度	rad	1 rad=1 m / m=1
立体角	球面度	sr	1 sr=1 m^2 / m^2=1
频率	赫[兹]	Hz	1 Hz=1 s^{-1}
力	牛[顿]	N	1 N=1 kg · m / s^2
压力，压强，应力	帕[斯卡]	Pa	1 Pa=1 N / m^2
能[量]，功，热量	焦[耳]	J	1 J=1 N · m
功率，辐[射能]通量	瓦[特]	W	1 W=1 J / s
电荷[量]	库[仑]	C	1 C=1 A · s
电压，电动势，电位，电势	伏[特]	V	1 V=1 W / A
电容	法[拉]	F	1 F=1 C / A
电阻	欧[姆]	Ω	1 Ω=1 V / A
电导	西[门子]	S	1 S =1 $Ω^{-1}$
磁通[量]	韦[伯]	Wb	1 Wb=1 V · s
磁通[量]密度，磁感应强度	特[斯拉]	T	1 T=1 Wb / m^2
电感	亨[利]	H	1 H=1 Wb / A
摄氏温度	摄氏度	℃	1 ℃=1 K
光通量	流[明]	lm	1 lm=1 cd · sr
[光]照度	勒[克斯]	lx	1 lx=1 lm / m^2

注：[ ]内的汉字、词是在不至于引起歧义的情况下，可以省略的字。

表 5-3 由于人类健康安全防护上的需要而确定的具有专门名称的 SI 导出单位

量的名称	单位名称	单位符号	用其他 SI 单位的表示式	用 SI 基本单位的表示式
[放射性]活度	贝可[勒尔]	Bq		1 Bq=1 s^{-1}
吸收剂量 比授[予]能 比释动能	戈[瑞]	Gy	J / kg	1 Gy=1 J / kg
剂量当量	希[沃特]	Sv	J / kg	1 Sv=1 J / kg

注：[ ]内的汉字、词是在不至于引起歧义的情况下，可以省略的字。

词头用于构成倍数单位(十进倍数单位与十进分数单位)，但不得单独使用或重叠使用，如只能写 nm，而不能写 mμm。需要注意的是，由于历史的原因，质量单位是唯一带有词头的单位名称，质量的 SI 单位名称“千克”中，已包含 SI 词头“千”，所以质量的十进倍数与十进分数单位的名称，由“克”字前加词头构成。如 10^{-9} kg=1 μg，而不是 1 纳千克。

表 5-4 用于构成十进倍数和十进分数单位的词头

词头名称	所表示因数	英文	词头符号
尧[它]	10^{24}	yotta	Y
泽[它]	10^{21}	zetta	Z
艾[可萨]	10^{18}	exa	E
拍[它]	10^{15}	peta	P
太[拉]	10^{12}	tera	T
吉[咖]	10^{9}	giga	G
兆	10^{6}	mega	M
千	10^{3}	kilo	k
百	10^{2}	hecto	h
十	10^{1}	deca	da
分	10^{-1}	deci	d
厘	10^{-2}	centi	c
毫	10^{-3}	milli	m
微	10^{-6}	micro	μ
纳[诺]	10^{-9}	nano	n
皮[可]	10^{-12}	pico	p
飞[母托]	10^{-15}	femto	f
阿[托]	10^{-18}	atto	a
仄[普托]	10^{-21}	zepto	z
幺[科托]	10^{-24}	yocto	y

注：[ ]内的汉字、词是在不至于引起歧义的情况下，可以省略的字。

5.1.2 国家选定的其他单位

已经制定的国际单位具有良好的优越性、代表性和实用性，但是在日常工作和生活中，还有一些具有重要作用的非 SI 单位尚不能废除，仍需继续使用。我国选定了 16 个非国际单位制的单位，作为国家法定计量单位的重要组成。它包括了 13 个按规定可以与国际单位制并用的单位，即 8 个与国际单位制并用的单位(只有在特定的情况下，才能使用该单位和 SI 单位并用构成组合单位)；2 个只在专门领域使用的非国际单位制单位(原子质量单位、电子伏特，它们用 SI 单位表示的值需要由试验获得，不能准确获得)；3 个暂时保留与国际单位制并用的单位(海里、节、公顷)；以及另外选定的 3 个单位(转每分、分贝、特克斯)。这些单位都是由于实际工作中的重要性和专门领域的需要，而得到国际计量委员会承认的。详见表 5-5。

表 5-5 国家选定的非国际单位制单位

量的名称	单位名称	单位符号	与 SI 单位的关系
时间	分 [小]时 日(天)	min h d	1 min=60 s 1 h=60 min=3 600 s 1 d=24 h=86 400 s
[平面]角	度 [角]分 [角]秒	° ′ ″	1°=(π / 180) rad 1′=(1 / 60)°=(π / 10 800) rad 1″=(1 / 60)′=(π / 648 000) rad
体积，容积	升	L(l)	1 L=1 dm^3=10^{-3} m^3
质量	吨 原子质量单位	t u	1 t=10^3 kg 1 u≈1.660 540×10^{-27} kg
旋转速度	转每分	r / min	1 r / min=(1 / 60) s^{-1}
长度	海里	n mile	1 n mile=1 852 m (只用于航程)
速度	节	kn	1 kn=1 n mile / h=(1 852 / 3 600) m / s (只用于航行)
能	电子伏	eV	1 eV≈1.602 177×10^{-19} J
级差	分贝	dB	
线密度	特[克斯]	tex	1 tex=10^{-6} kg / m
面积	公顷	hm^2	1 hm^2=10^4 m^2

说明：①[ ]内的汉字、词是在不至于引起歧义的情况下，可以省略的字。
②( )内的汉字为前者的同义字。
③为避免升的符号 l 和数字 1 之间发生混淆，第 16 届国际计量大会通过另外一个符号 L。
④r 为“转”的单位符号。
⑤π 为圆周率。
⑥电子伏特是一个电子在真空中通过 1 V 电压差所获得的动能，通常认为 1eV=1.602 177×10^{-19} J。
⑦原子质量单位等于一个 ^{12}C 核素原子质量的 1 / 12，通常认为 1u=1.660 540×10^{-27} kg。
⑧海里是航海和航空导航上表示距离的专用单位。这个协议值是第一次国际水文学特别会议通过的，名为“国际海里”。

5.1.3 不允许使用的单位

5.1.3.1 国际计量委员会认定的其他暂时保留与 SI 并用的单位

除了根据需要我国选定的 3 个暂时保留与国际单位制并用的单位外，还有 9 个单位也被国际计量委员会认定，它们可能出现在国外的技术标准、科学文献或出版物中。详见表 5-6。

5.1.3.2 厘米克秒制(CGS)单位

在力学领域内，CGS 单位制以长度、质量、时间作为基本量纲。在电学和磁学领域内，依据这 3 个基本单位导出电学和磁学单位，形成了几个不同的单位制。例如静电制(CGSE)、电磁制(CGSM)等。

表 5-6 我国未选用的暂时保留与国际单位制并用的单位

单位名称	单位符号	用 SI 单位表示的值
埃	Å	1 Å=0.1 mm=10^{-10} m
公亩	a	1 a=1 dam^2=10^2 m^2
靶恩	b	1 b=100 fm^2=10^{-28} m^2
巴	bar	1 bar=0.1 MPa=10^5 Pa
伽	Gal	1 Gal=1 cm / s^2=10^{-2} m / s^2
居里	Ci	1 Ci=3.7×10^{10} Bq
伦琴	R	1 R=2.58×10^{-4} C / kg
拉德	rad	1 rad=1 cGy=10^{-2} Gy
雷姆	rem	1 rem=1 cSv=10^{-2} Sy

5.1.3.3 其他单位

由于历史等原因，还有一些曾经使用过的单位如托、伽马等，最好避免使用，应用国际单位制单位替代它们。

5.2 法定计量单位的使用规则

5.2.1 法定计量单位的名称

(1)法定计量单位的名称及简称都有明确的规定，只有在不至于产生歧义的情况下方可使用简称。书写单位名称时，其中不允许增加任何表示乘或除的符号。

(2)组合单位的名称与其符号书写的顺序一致，符号中的乘号没有对应的名称，符号中的除号对应的汉字为“每”。例如 1 C / V 应读作“1 库伦每伏特”，书写时亦如此处理。无论分母中有几个单位，“每”只在组合单位名称中出现一次。

(3)乘方形式的单位名称，其书写方式为指数名称在单位的名称之前。例如 m^4 的名称为“四次方米”，而非“米四次方”。

(4)如果长度的 2 次幂和 3 次幂分别指面积、体积，则相应的指数名称分别为“平方”和“立方”，并放在单位的名称前。

(5)幂指数为“–1”的单位，其名称以“每”字开头。例如 K^{-1} 通常称为“每开尔文”，而非“负一次方开尔文”。

(6)单位的符号可用于一切场合，而单位的名称和简称一般只用于叙述性文字中。

(7)单位名称或符号必须作为整体使用，不得拆开。

(8)单位名称或符号必须置于数值之后。

(9)一个量值中应只使用一个单位。

5.2.2 法定计量单位与词头的符号

(1)单位和词头可使用国际符号或中文符号。单位和词头的符号为字母时一律用正体。单位符号一律不得使用复数形式、加以下标或其他符号给予另外含义。

(2)两个以上单位相乘所构成的组合单位在加词头时，其词头通常加在第一个单位之前。其写法为：采用居中圆点作为乘号进行书写。例如力矩的单位 kN·m 不可写成 N·km，其中文符号为千牛·米，而非“千牛米”或“(千牛)(米)”。

(3)由两个以上单位相除所构成的组合单位，其符号可采用以下 3 种写法之一。以压强单位“牛顿每平方米”为例，其有 3 种形式：N / m^2、N·m^{-2}、Nm^{-2}。特殊情况下，为避免产生混乱，只宜使用 N / m^2 或 N·m^{-2} 这两种形式。由两个以上单位相除所构成的组合单位的中文符号，可以采用以下两种形式之一：牛顿 / 平方米或者牛顿·$米^{-2}$。

(4)在用“/”表示相除时，分母中包含两个以上的单位相乘时，整个分母应加圆括号。例如：焦尔每摩尔开尔文的符号应为 J / (mol·K)，而非 J / mol·K。

(5)词头的名称与单位名称联用时，作为一个整体，词头和单位之间不得有间隔，它们之间不允许加入其他字词。例如平方千米的符号为 km^2，不得为 k·m^2，中文符号为$(千米)^2$，不是$(千·米)^2$。

(6)不得重叠使用词头。例如不得使用 1 kkW，应用 1 MW。

(7)一般不在组合单位的分子分母中同时采用词头。

5.2.3 国际单位制单位及其倍数单位的应用

(1)SI 单位的倍数单位根据使用方便的原则选取。通过适当的选择，可使数值处于一定范围内。选用的 SI 单位的倍数单位，一般应使量的数值处于 0.1 ~ 1 000 范围内。例如 0.028 6 m 可写成 28.6 mm；0.5×10^4 N 可写成 5 kN；12 586 Pa 可写成 12.586 kPa。

(2)在某些情况下，习惯使用的单位可以不受上述限制。如大部分机械图使用的单位是毫米。对于组合单位，其倍数单位的构成，一般只使用一个词头，而且尽可能用于组合单位中的第一个单位。

(3)摄氏温度单位摄氏度，角度单位度、分、秒与时间单位日、时、分等不得用 SI 词头构成倍数单位。

第 6 章　数据处理及测量误差

6.1　有效数字和计算规则

6.1.1　有效数字

在取样、测量、数据处理的过程中，试验人员经常要记录很多测量数据，这些数据应当是能正确反映被测量大小的有效数字。但是在试验中观测、读数、运算与最后得出的结果，都存在不确定性，都或多或少存在误差。对测量值测量位数的取舍，即哪些是能反映被测量实际大小的数字予以保留，哪些不应当保留，这与有效数字及其运算法则有关。

0、1、2、3、4、5、6、7、8、9 这些个数码称为数字。一个或多个数字组合形成数值。一个数值中，各个数字所占的位置称为数位。

任意一个数的最后一位数字所对应的单位量值，称为末。例如：某物体的质量为 9.56 kg，最后一位的量值为 0.06 kg，即单位量值 0.01 kg 与最后一位数字 6 的乘积。所以，9.56 kg 的末为 0.01 kg。

在数学上对近似数的有效数字有如下的解释：当该近似数的绝对误差的模小于 0.5 倍的末时，从左边的第一个非零数字算起，直到最后一位数字为止的所有数字。

普遍使用的对有效数字的解释为：对一个数据取其可靠位数的全部数字加上一位可疑数字，就称为这个数据的有效数字。记录和报告中出现的测量结果只应包含有效数字。通过上述描写可以看出，有效数字是分析、测量工作中能得到的具有有效意义的数字，它反映了仪器的精密度和准确度。

使用最小刻度为 1 mm 的直尺测量钢管长度时，测量的正确结果应精确到 0.1 mm，如果保留小数点后两位数字，显然是毫无必要的。因为小数点后第一位数字即为估计值。但是，只保留整数位，也不合适。有一位可疑数字，使得测量值更加接近真实值，更能反映客观情况。

6.1.2　有效数字的位数

一个近似数据的有效位数是该数中有效数字的个数，指从该数左方第一个非零数字算起到最末一个数字(不包括无效零)的个数，它不取决于小数点的位置。

有效数字的位数与十进制单位的变换无关，即与小数点的位置无关。当数字 0 用于指示小数点的位置而与测量的准确度无关时，不是有效数字。当 0 用于表示与测量准确度有关的数值大小时，0 和其他数字具有同等地位，为有效数字。显然，在确定有效数字的位数时，第一个不为零的数字左边的 0 不能算有效数字的位数，非零数字中的 0 和小数中最后一个非零数字后的 0 算有效数字的位数。

6.1.3 数据修约规则

对试验测定和计算得出的各种数据进行修约时，建议按照《数据修约规则》(GB8170—87)进行。

6.1.3.1 确定修约位数的表达方式

(1)修约间隔：确定修约保留位数的一种方式。修约间隔的数值一经确定，修约值即应为该数值的整数倍。

(2)指定位数：①指定修约间隔为 10^{-n} (n 为正整数)，或指明将数值修约到 n 位小数；②指定修约间隔为 1，或指明将数值修约到整数位；③指定修约间隔为 10^{n}，或指明将数值修约到 10^{n} 数位(n 为正整数)，或指明将数值修约到“十”、“百”、“千”……数位。

(3)指定将数值修约成 n 位有效位数。

6.1.3.2 进舍规则

按照“四舍六入五单双”的规则进行修约。拟舍弃数字的最左一位数字不大于 4 时舍弃，保留的各位数字不变；拟舍弃数字的最左一位数字大于 5 或者是 5，而其后跟有并非为 0 的数字时进一，即保留的末位数字加 1；拟舍弃数字的最左一位是 5，而右面无数字或为 0 时，若保留的末位数字为奇数(1、3、5、7、9)则进一，为偶数(0、2、4、6、8)则舍弃。负数修约时，可将数据的绝对值按照上述的规定进行修约，然后在修约值前面加上负号。

6.1.3.3 不得连续修约

拟修约数字应在确定修约位数后一次修约获得结果，不得多次连续修约。在具体实施中，有时测试与计算部门先将获得数值按指定的修约位数多一位或几位报出，而后由其他部门判定。为避免产生连续修约的错误，可按下述步骤进行。①报出数值最右的非零数字为 5 时，应在数值后加“(+)”或“(–)”或不加符号，分别标明已进行过舍、进或未舍未进。②如果判定报出值需要进行修约，当拟舍弃数字的最左一位数字为 5 而后面无数字或皆为 0 时，数值后面有(+)号者进一，数值后面有(–)号者舍去，其他仍按 6.1.3.2 中的规则进行。

6.1.3.4 0.5 单位修约与 0.2 单位修约

(1)0.5 单位修约。0.5 单位修约指修约间隔为指定数位的 0.5 单位，即修约到指定位数的 0.5 单位。具体修约办法：将拟修约数值乘以 2，按指定位数依 6.1.3.2 规则修约，所得数值再除以 2。

(2)0.2 单位修约。0.2 单位修约指修约间隔为指定数位的 0.2 单位，即修约到指定位数的 0.2 单位。具体修约办法：将拟修约数值乘以 5，按指定位数依 6.1.3.2 规则修约，所得数值再除以 5。

6.1.4 近似计算规则

在数字的运算中，存在不确定度传递的问题，应按下列规则进行合理取位。

(1)加减运算：在几个数值相加减时，以各数中绝对误差最大的数值(即小数点后位数最少者)为标准，其余各数修约后暂时比该数多一位小数。计算结果按照数值修约规则处理，其有效位数与参与计算各数中绝对误差最大的数值有效位数相同。

(2)乘除运算：在几个数值乘除时，以各数中相对误差最大的数值(即有效位数最少者)为标准，其余各数修约后暂时比该数多一位小数。计算结果按照数值修约规则处理，其有效位数与参与计算各数中相对误差最大的数值有效位数相同。

(3)乘方和开方：近似值乘方或开方时，原近似值有几位有效数字，计算结果就保留几位有效数字。

(4)对数与反对数：在近似值的对数计算中，所取对数的小数点后的位数(不包括首数)应与真数的有效数字位数相同。

(5)常数：公式中的常数，如π、e等，它们的有效数字位数是无限的，运算时一般根据需要，比参与运算的其他量多取一位有效数字即可。

(6)差方和、方差和标准偏差：在运算过程中不对中间结果修约，只将最后结果修约到要求的位数。

6.2 可疑值的判断和取舍

可疑值是指在相同测量条件下，多次对同一样品进行重复测定，所得到的一组数据中，个别测定值明显比其他测定值偏大或偏小。产生可疑值的原因可能是试验条件、试验方法出现了偏离，也可能是由于测量、计算过程中出现了失误。可疑值不能任意取舍，可采用直观判断法或统计的方法进行判别，以保证测量结果的准确度与精密度。常用的检验方法有 Grubbs 检验法、Dixon 检验法等。检出异常值的统计检验的检出水平(显著性水平)的适宜取值为 5%。

6.2.1 Grubbs 检验法(单侧情形检验法)

Grubbs 检验法适用于检验多组测量值均值的一致性和剔除多组测量值均值中的异常值，亦可用于一组测量值(个数 n)的一致性检验和剔除一组测量值中的异常值。Grubbs 检验法不适合用于判断是否存在多个异常值的情况。

(1)将观测值按大小依次排序，即 x_1，x_2，…，x_n，其中最大值为 x_n，最小值为 x_1。

(2)计算样本均值 $\overline{x}$ 和样本标准差 s

$$\overline{x}=(x_1+x_2+\cdots+x_n)/n$$

$$s=\sqrt{\frac{1}{n-1}\left(\sum_{i=1}^{n}x_i^2-n\overline{x}^2\right)}$$

(3)求出统计量 G_n 或 G'_n

$$G_n=(x_n-\overline{x})/s$$

$$G'_n=(\overline{x}-x_1)/s$$

(4)确定检出水平 α，由 Grubbs 检验临界值 G 表查出对应 n、α 的临界值 $G_{1-\alpha(n)}$。

(5)当 $G_n>G_{1-\alpha(n)}$时，判断最大值 x_n 为异常值；否则，判断没有异常值。

(6)当 $G'_n>G_{1-\alpha(n)}$时，判断最小值 x_n 为异常值；否则，判断没有异常值。

6.2.2 Dixon检验法(单侧情形检验法)

Dixon检验法用于检验一组观测值的一致性和剔除一组观测值中的异常值，适用于检测出一个或多个异常值。

(1)将观测值按照由小到大的顺序排列，即 $x_1 \leqslant x_2 \leqslant \cdots \leqslant x_n$，计算统计量 D(见表6-1)。

表 6-1　计算统计量 D

n	可疑值偏大	可疑值偏小
3 ~ 7	$D=r_{10}=\dfrac{x_n-x_{n-1}}{x_n-x_1}$	$D'=r_{10}=\dfrac{x_2-x_1}{x_n-x_1}$
8 ~ 10	$D=r_{11}=\dfrac{x_n-x_{n-1}}{x_n-x_2}$	$D'=r_{11}=\dfrac{x_2-x_1}{x_{n-1}-x_1}$
11 ~ 13	$D=r_{21}=\dfrac{x_n-x_{n-2}}{x_n-x_2}$	$D'=r_{21}=\dfrac{x_3-x_1}{x_{n-1}-x_1}$
14 ~ 30	$D=r_{22}=\dfrac{x_n-x_{n-2}}{x_n-x_3}$	$D'=r_{22}=\dfrac{x_3-x_{n-1}}{x_{n-2}-x_1}$

(2)确定检出水平 α，由Dixon检验临界值 D 表查出对应 n、α 的临界值 $D_{1-\alpha(n)}$。

(3)检验最大值时，当 $D>D_{1-\alpha(n)}$，判断 x_n 为异常值；检验最小值时，当 $D'>D_{1-\alpha(n)}$，判断 x_1 为异常值；否则，判断“没有异常值”。

6.2.3 4d检验法

4d检验法适用于剔除一组观测数据中的可疑值(在测定次数为4~8次时较适用)。

(1)剔除可疑值 x_n 后，求出其余数据的算术平均值 $\overline{x}_{n-1}$ 和平均偏差 $\overline{d}_{n-1}$；

(2)计算可疑数据 x_n 与 $\overline{x}_{n-1}$ 之差的绝对值 D。

(3)计算 D 与 $\overline{d}_{n-1}$ 的比值，若该值>4则可疑值舍弃，反之，则保留。

6.2.4 David检验法

David检验法适用于检验一组数据中最大值、最小值同时为可疑值的情况。

(1)计算最大值与最小值的差 d

$$d=x_n-x_1$$

(2)计算标准偏差 s

$$s=\sqrt{\frac{1}{n-1}\left(\sum_{i=1}^{n}x_i^2-n\overline{x}^2\right)}$$

(3)计算 d/s 值。

(4)确定检出水平 α，由David检验临界值表查出对应 n、α 的临界值 d/s。

(5)将计算值与临界值比较，若计算值大于临界值，可认为偏大可疑值或偏小可疑值的任一个或两个应舍去。

(6)利用 Grubbs 检验法判断应舍去哪一个可疑值或同时舍去两个可疑值。

6.3 测量误差

6.3.1 测量误差的定义

测量值与测量的(约定)真值之差通常称为测量误差，简称误差。应当说明的是，量的真值是量的定义的完整体现，是一个理想化的概念，一般是不能确定的。一般采用约定真值来代替真值，其误差一般忽略不计。约定真值一般来自于上级的计量机构向下传递的量值，即采用不确定度的方式来表征其所处的范围。

在测试的过程中，同一位分析人员，在同一测试环境中，采用相同的测量方法，根据一定的测量程序对一个样品进行重复检测，得到的数据仍然不能完全相同；对已知浓度的试样进行测量，所得到的结果也不一定与已知值相符合，也就是说，误差是经常存在的。

6.3.2 测量误差的来源

测量的过程中，涉及到的所有因素几乎都可以引起测量误差，主要的误差来源有以下几方面。

(1)方法误差：采用不同的测量方法或由于测量方法本身的原因产生的误差称为方法误差。例如由于测量原理的不同，不同测量方法对同一测量物质的检测结果精度不同而形成的误差；测量方法本身采用了近似的计算公式或者由于方法本身受干扰的影响而产生的误差。

(2)仪器误差：仪器装置本身或者仪器检定结果不可靠所形成的误差称为仪器误差。仪器误差产生的原因很多，例如仪器工作原理的误差、测量装置的示值误差和示值稳定性误差、制造与安装误差，以及由于基准器具形成误差等。

(3)环境误差：由于测量环境的变化引起的测量值偏离真值而产生的误差称为环境误差。它包括温度、湿度、振动、电磁干扰等。例如在使用原子荧光光谱仪测量砷、汞的过程中，温度急剧变化容易引起荧光强度的改变，形成测量误差。

(4)人员误差：由于分析人员的责任心、工作状态、测量习惯、技术水平、仪器掌握程度等因素产生的误差称为人员误差。

此外，其他诸多因素如试剂、容器的沾污，乃至测量对象本身的变化等原因也都会造成误差。

6.3.3 测量误差的种类

根据误差产生的原因和性质，可将误差分为 3 类，即系统误差、随机误差和过失误差。

6.3.3.1 系统误差

1)定义与特点

系统误差又称恒定可测误差、误差或偏倚，它是由于某种固定的原因造成的，表现为多次测量同一量时测量结果偏高或偏低。它具有重复性和单向性的特点。在特定的测量条件下，重复进行多次测量，它会重复出现，影响各次测量结果。试验或测量条件一经确定，系统误差就获得一个客观上的恒定值，多次测量的平均值也不能减弱它的影响，所有的测量结果都偏高或者偏低。系统误差的大小、正负是可以测定的，至少在理论上是可以测量的。

2)产生的原因

(1)方法误差：由于分析方法本身固有特性所致。

(2)仪器和试剂误差：仪器误差来源于未经校准的仪器或仪器本身不精确。试剂误差则由于所用试剂(包括试验用水)含有杂质所致。

(3)操作误差：由于测量者未能完全掌握正确的操作所致。

(4)环境误差：由于测量时环境因素的显著改变(例如室温的明显变化)所致。

(5)主观误差：又称个人误差，由于分析人员的主观因素所致。如个人判断能力的不同以及分析人员在操作中“先入为主”的成见等。

3)处理方法

(1)仪器校准：对仪器进行校准，修正测量结果，减小系统误差。

(2)通过空白试验、回收率试验、比对试验等，引入校正因子，修正测量结果，消除试验中各种原因所产生的误差。

(3)采用合适的测量方法，减弱系统误差的影响。

6.3.3.2 随机误差

1)定义和特点

随机误差又称偶然误差、不定误差或抽样误差，是由测量过程中各种偶然的随机因素共同作用造成的。在相同测量条件下做多次测量，即使扣除了系统误差的影响，测量值仍然参差不齐，时大时小、时正时负，以不可测定的方式在一定范围内变化。由于随机误差是由一些不确定的偶然原因造成的，所以随机误差在测量结果中是不可避免的。由于随机误差难以找到确切的原因，表面上随机误差的出现、大小好像没有什么规律，但是如果进行多次测量，其数据的分布符合一般的统计规律，其特点如下。

(1)一定条件下进行有限次数的测量，其结果的随机误差的绝对值不超过一定的界限。

(2)绝对值小的误差比绝对值大的误差数量多。

(3)绝对值相等的正负误差出现的概率(次数)大致相同。

(4)对同一量进行多次、重复测量，随机误差的代数和随着测量次数的无限增加而趋于零。

2)产生的原因

随机误差是由能够影响测量结果的许多未被掌握或不便控制的微小因素综合作用引起的。例如测量过程中局部空气的紊流、环境温度的变化、电源电压的微小波动、估读误差等。因此，随机误差可视为大量随机因素导致的误差的叠加。

3)减小的方法

可采用严格控制试验条件、准确执行操作规程、增加测量次数、采用数理统计的方法减小随机误差。

6.3.3.3 过失误差

过失误差也叫粗差。这类误差是指工作中的差错，是由分析者在测量过程中不按照操作规程操作，发生不应有的责任事故造成的。过失误差表现在一组测量数据中出现个别含有明显错误的离群数据。过失误差在分析工作中是不允许存在的，它应该而且能够避免。

对于明显属于错误的分析数据可按照离群数据的统计检验方法将其剔除。对于确知操作中存在错误情况的测量数据，无论结果好坏，都必须舍弃。过失误差一经发现必须及时纠正。

只要分析人员加强业务素质和工作责任感，不断提高理论和技术水平，对工作认真细致，严格执行有关标准、规程、制度，过失误差是完全可以避免的。

6.3.4 测量误差的表示方法

6.3.4.1 绝对误差和相对误差

绝对误差是单一测量值或多次测量值的均值与真值之差。数学表达式为

绝对误差=测量值–真值

绝对误差除以真值，所得的结果(常用百分数表示)称为相对误差。数学表达式为

相对误差=绝对误差÷真值

测量值与真值之间的符合程度，通常称为准确度。准确度用绝对误差或相对误差表示。

6.3.4.2 绝对偏差和相对偏差

绝对偏差为某一测量值 x_i 与多次测量值的均值 $\overline{x}$ 之差，以 d_i 表示。数学表达式为

$$d_i=x_i-\overline{x}$$

绝对偏差除以均值，所得的结果(常用百分数表示)称为相对偏差。数学表达式为

相对偏差=d_i / $\overline{x}$

6.3.4.3 平均偏差和相对平均偏差

平均偏差为绝对偏差的绝对值和的平均值，以 $\overline{d}$ 表示。数学表达式为

$$\overline{d}=\frac{1}{n}\sum_{i=1}^{n}|d_i|=\frac{1}{n}\left(|d_1|+|d_2|+\cdots+|d_n|\right)$$

平均偏差除以测量均值，所得的结果(常用百分数表示)称为相对平均偏差。数学表达式为

相对平均偏差=$\overline{d}$ / $\overline{x}$

6.3.4.4 极差

极差为一组测量值内最大值与最小值之差，又称范围误差或全距，以 R 表示。数学表达式为

$$R=x_{\max}-x_{\min}$$

式中 $x_{\max}$——测量值 $x_1, x_2, x_3,\cdots, x_n$ 中的最大值；

$x_{\min}$——测量值 $x_1, x_2, x_3,\cdots, x_n$ 中的最小值。

6.3.4.5 样本的差方和、方差、标准偏差和相对标准偏差

绝对偏差的平方的和称为差方和，又称离均差平方和或平方和，以 S 表示。数学表达式为

$$S=\sum_{i=1}^{n}\left(x_i-\overline{x}\right)^2=\sum_{i=1}^{n}d_i^{\ 2}$$

样本方差用 s^2 或 V 表示，数学表达式为

$$s^2=\frac{1}{n-1}\sum_{i=1}^{n}\left(x_i-\overline{x}\right)^2=\frac{1}{n-1}S$$

样本标准偏差，又称标准差，用 s 或 SD 表示。数学表达式为

$$s=\sqrt{\frac{1}{n-1}\sum_{i=1}^{n}(x_i-\overline{x})^2}=\sqrt{s^2}=\sqrt{\frac{1}{n-1}S}$$

样本相对标准偏差，又称变异系数，是样本的标准偏差与其均值的比值(常用百分数表示)。前者记为 RSD，后者记为 CV。数学表达式为

$$RSD(CV)=(s/\overline{x})\times100\%$$

总体方差及总体标准偏差分别以 σ^2 和 σ 表示。数学表达式为

$$\sigma^2=\frac{1}{N}\sum_{i=1}^{N}\left(x_i-\mu\right)^2$$

$$\sigma=\sqrt{\sigma^2}=\sqrt{\frac{1}{N}\sum_{i=1}^{N}(x_i-\mu)^2}$$

式中 N——总体容量；

μ——总体均值，$\mu=\frac{1}{N}\sum_{i=1}^{N}x_i$ 。

第7章　测量不确定度评价

7.1　基本概念

(可测定的)量：用来定性或定量描述物体或物质的固有属性，它不能用一个值来确定，只能依靠一个量来说明。(可测定的)量通常可分为两种：广义量或特定量。

(量)值：由一组数字和计量单位所组成，用来表示某个量的大小。

测量：测量被测量的值。

(测量)不确定度：与测量结果相关联的参数，表征合理地赋予被测量量值的分散性。测量不确定度可为标准偏差(或标准偏差的倍数)或置信区间的宽度。测量不确定度一般包括许多分量，所有的分量对分散都有影响。

标准不确定度：采用标准偏差来表示测量结果的不确定度，称为标准不确定度。

(标准不确定度的)A 类评定：采用统计分析的方法对一系列观测值进行计算并得到标准不确定度，称为标准不确定度的 A 类评定。

(标准不确定度的)B 类评定：采用不同于对一系列观测值进行统计分析的方法得到标准不确定度，称为标准不确定度的 B 类评定。

合成标准不确定度：当测量结果由其他一些量的值导出时，由其他量的方差或协方差算出的测量结果的标准不确定度称为合成标准不确定度。测量结果 y 的合成标准不确定度用 $u_c(y)$表示，也可写为 u_c 或 $u(y)$。

扩展不确定度：又称为范围不确定度、展伸不确定度。通常定义为确定测量结果区间的量，合理赋予被测量值分布于较高的置信水平区间。扩展不确定度通常用 U 表示。

包含因子：又称为范围因子或覆盖因子。通常定义为为求得扩展不确定度，对合成不确定度所乘的数值。包含因子通常用 k 或 kp 表示。

7.2　使用说明

在测量的工作中，存在有诸多的不确定度来源，例如：

(1)被测量的定义不完整。

(2)复现被测量测量方法不理想。

(3)取样的代表性不够，即被测样本不能代表所定义的被测量。

(4)对测量过程受环境影响的认识不足或环境的测量与控制不完善。

(5)对模拟仪器数的读数存在人为偏移。

(6)测量仪器的计量性能(如灵敏度、鉴别力、分辨力、死区及稳定性等)的局限性。

(7)测量标准或标准物质的不确定度。

(8)引用的数据或其他参量的不确定度。

(9)测量方法和测量程序中的近似与假设。

(10)在相同条件下，被测量在重复观测中的变化。

不确定度不能理解为表示未修正的未知误差，因为即使修正过的测量结果仍然有较大的不确定度，但也可能非常接近被测量值。

在一些出版物中，曾经出现过“随机不确定度”、“系统不确定度”的说法。从上述不确定度的来源中，可以得出以下结论：不确定度与随机影响和系统影响引入的误差有关。将不确定度分为“随机不确定度”、“系统不确定度”两类是含糊的、不明晰的，若要说明不确定度产生的来源，可采用随机影响导致的不确定度和系统影响引入的不确定度来阐述。

(标准不确定度的)A类评定和(标准不确定度的)B类评定是为了便于表明计算不确定度的两种途径，两种计算方法得到的结果在本质上不存在差异。

测量不确定度可分为标准不确定度和扩展不确定度两类。标准不确定度又可细分为A类标准不确定度、B类标准不确定度和合成标准不确定度。

7.3 标准不确定度的评定方法

通常情况下，被测量 Y 不能直接获得，需通过一定的函数计算，例如 $Y=f(X_1, X_2, X_3, \cdots, X_n)$，使得 Y 与其他可测量建立起计算关系。输入量 X_i 本身也可以是被测量或由其他量计算得到。

被测量 Y 的估计值表示为 y，通过调用函数 f 并根据估计值 x_1，x_2，x_3，…，x_n，计算得到 $y=f(x_1, x_2, x_3, \cdots, x_n)$。在特殊情况下，估计值 y 可用下式求出：

$$y=\overline{Y}=\frac{1}{n}\sum_{k=1}^{n}Y_k=\frac{1}{n}\sum_{k=1}^{n}f(X_{1,k},X_{2,k},X_{3,k},\cdots,X_{n,k})$$

即 y 被看成在每次测定的不确定度都相同的条件下，Y 的 n 次独立测量值 Y_k 的算术平均值。

估计值 y 的估计标准偏差被称为合成标准不确定度，用 $u_c(y)$表示，根据每个估计值 x_i 计算得到的估计标准偏差,称为标准不确定度，用 $u(x_i)$表示。标准不确定度的计算值建立在统计分析的基础上得到，通常称为标准不确定度的A类评定。标准不确定度的计算值建立在经验分布的基础上得到，通常称为标准不确定度的B类评定。

7.3.1 标准不确定度的A类评定

通常情况下，对于一个随机变量 X，在得到相同测量条件下的 n 次观测值 x_k，并根据计算公式 $\overline{x}=\frac{1}{n}\sum_{k=1}^{n}x_k$ 得到 n 次观测值的算术平均值 $\overline{x}$。观测值 x_k 受影响量的随机变化，在数值的大小上表现为不尽相同。X 的样本方差为 $s^2(x_k)=\frac{1}{n-1}\sum_{k=1}^{n}\left(x_k-\overline{x}\right)^2$，样本方差正的平方根 $s(x_k)$通常称为样本或试验标准偏差，表示观测值 x_k 相对平均值 $\overline{x}$ 的变化、分散程度。

平均值 $\overline{x}$ 的总体方差 $\sigma^2(\overline{x})$可由下式近似导出：

$$\sigma^2(\bar{x})=\frac{1}{n}s^2\left(x_k\right)$$

测量平均值的试验标准偏差 $\sigma(\bar{x})$和总体方差 $\sigma^2(\bar{x})$，可说明用 $\bar{x}$ 估计 x 的期望值 u_x 的情况,即两者都可表征 $\bar{x}$ 的不确定度的度量。因此，可以根据在重复条件下获得的一定次数的测量结果，计算得到方差和标准偏差，从而推断出总体平均值的方差和试验标准偏差。我们把 $u^2(\overline{X_i})=s^2(\overline{X_i})$和 $u(\overline{X_i})=s(\overline{X_i})$分别称为 A 类方差和 A 类标准不确定度。

7.3.2 标准不确定度的 B 类评定

采用不同于对观测值统计分析的其他方法，对有关观测值可能变化的全部信息进行判断，进行标准不确定度的评定，得到估计方差 $u^2(X_i)$或标准不确定度 $u(X_i)$，称为 B 类方差或 B 类标准不确定度。B 类标准不确定度的计算方法与 A 类标准不确定度的计算方法同样可靠，不存在本质差异。

常见的 B 类标准不确定度的计算方法有如下两种。

(1)如果观测值来自于生产厂家所公开的技术指标、文件、检定证书或其他可靠出处，而不确定度又为标准偏差的倍数，则标准不确定度 $u(X_i)$可由该引用值乘以该倍数得到，估计方差 $u^2(X_i)$可考虑由商的平方得到。

(2)X_i 的不确定度不是作为标准偏差的倍数，而是作为置信区间给出。除非另有说明，一般可以假设 X_i 值的分布近似为正态，用已知的置信区间的不确定度除以正态分布的适当因子，得到 X_i 的标准不确定度。

有关观测值可能变化的全部信息主要来源于以下几种：

(1)历史测量数据。

(2)对测量仪器设备性能和技术资料的了解与掌握。

(3)生产厂家所公开的技术指标与说明文件。

(4)检定证书、校准证书提供的数据、准确度的等级或级别。

(5)技术手册中提供的参考数据及其不确定度。

(6)规定试验方法的国家标准或类似技术文件中给出的重复性限或重现性限。

7.3.3 合成标准不确定度的确定

当测量结果由两个或两个以上互相联系或相互独立的量的值求出时，测量结果的标准不确定度等于这些其他量的方差和协方差适当和的正平方根，通常称为合成标准不确定度，并用符号 $u_c(y)$表示。合成标准不确定度仍然是标准偏差，仍然表征了测量结果的分散性。

当测量值 y 是通过输入两个或两个以上相互独立的非相关量 x_1，x_2，…，x_n 的值来确定时，为求出测量值的总不确定度，可适当地输入这些其他量的标准不确定度计算得出。非复杂情况下，合成标准不确定度 $u_c(y)$可由下式求出的合成方差的正平方根得到：

$$u_c^2(y)=\sum_{i=1}^{n}\left(\frac{\partial f}{\partial x_i}\right)^2 u^2\left(x_i\right)$$

式中 $u(x_i)$——按照 7.3.1 或 7.3.2 介绍的 A 类方法、B 类方法计算出的标准不确定度。

当测量值 y 是通过输入两个或两个以上相互联系的相关量 x_1，x_2，…，x_n 的值来确定时，在计算合成标准不确定度时，必须考虑这种相关性，引入协方差。当 x_i、x_j 之间相互关联时，测量结果的合成方差可由下式近似计算得到：

$$u_c^2(y)=\sum_{i=1}^{n}\sum_{j=1}^{n}\frac{\partial f}{\partial x_i}\frac{\partial f}{\partial x_j}u\left(x_i,x_j\right)$$

7.4 扩展不确定度

尽管合成标准不确定度已经普遍被接受，并广泛应用于各个领域。但是在一些特殊应用场合，通常需要确定测量结果的置信区间，合理赋予被测量值主要分布于此区间内，能够满足上述要求的量，称为扩展不确定度，用 U 表示。它也可以称为展伸不确定度或范围不确定度。

扩展不确定度由合成标准不确定度乘以包含因子(或给定概率 p 的包含因子)得到。计算公式为：$U=ku_c\left(y\right)$ 或 $U=kpu_c(y)$。即用合成标准不确定度的倍数来表示测量结果扩展不确定度。通常情况下，采用 $Y=y\pm U$ 表示测量结果。说明影响被测量值 Y 的最佳估计值为 y，以及由 $y-U\sim y+U$ 定义的区间内包含了测量结果可能值的较大部分；采用 $Y=y\pm Up$，说明在 $y-Up\sim y+Up$ 的区间内，以概率 p 包含了测量结果的可能值。

当 99%被测量值落在一区间内，则此区间称为概率为 p =99%的置信区间。此区间的半宽也就是扩展不确定度为 U_{99}。以此类推，要求 95%的概率时，其扩展不确定度为 U_{95}。当$(y-Y)\,/\,u_c(y)$的分布近似为正态分布，k =2 或 3 时，该区间的置信水平约为 95%和 99%，所以 k 值一般取 2 或 3。

7.5 测量不确定度的报告

7.5.1 测量不确定度的评定流程

测量不确定度的评定流程如图 7-1 所示。

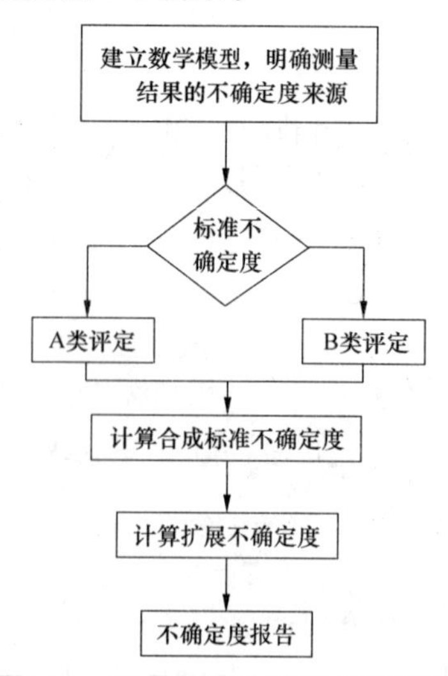

图 7-1 测量不确定度的评定流程

7.5.2 测量不确定度的报告

在中华人民共和国国家计量技术规范《测量不确定度评定与表示》中，对测量不确定度的报告有明确而详细的规定。

7.5.2.1 不确定度报告

对于比较重要的测量，不确定度的报告一般应包括以下内容：

(1)有关输入量与输出量的函数关系以及灵敏系数。

(2)修正值和常数的来源及其不确定度。

(3)输入量 X_i 的试验观测数据及其估计值 x_i，标准不确定度 $u(x_i)$ 的评定方法及其量值、自由度，并将它们列成表格。

(4)对所有相关输入量给出其协方差或相关系数及其获得方法。

(5)测量结果的数据处理程序，该程序应易于重复，必要时报告结果的计算应能独立重复。

7.5.2.2 合成标准不确定度报告

当用合成标准不确定度报告测量结果的不确定度时，除 7.5.2.1 所涉及的内容外，还应注意：

(1)明确说明被测量 Y 的定义。

(2)给出被测量 Y 的估计值 y、合成标准不确定度 $u_c(y)$ 及其单位，必要时还应给出自由度。

(3)必要时也可给出相对标准不确定度。

7.5.2.3 扩展不确定度报告

当用 U 或 U_p 报告测量扩展不确定度时，除 7.5.2.1 所涉及的内容外，还应注意：

(1)明确说明被测量 Y 的定义。

(2)给出被测量的估计值 y、扩展不确定度 U 或 U_p 及其单位。

(3)必要时也可给出相对扩展不确定度。

(4)对 U 应给出 k 值，对 U_p 应明确 p 值，推荐给出自由度，以避免不确定度传播到下一级。

第 8 章　常规监测质量控制技术及其特性

8.1　常规监测质量控制技术

常规监测质量控制程序的主要目的是控制测试数据的准确度和精密度。

实验室质量控制的根本着眼点是控制分析误差，对于实验室内(个人)在于控制分析过程中各种因素所导致的测试结果的波动和异常；对于实验室间(人与人之间)则着重控制分析结果的系统误差，也就是检验其结果的准确性。

通常使用的质量控制技术有平行样分析、加标回收率分析、密码样和密码加标样分析、标准物质(或质控样)对比分析、室内互检、室间外检、方法比较分析和试验允许差以及质量控制图等。这些控制技术各有其特点和适用范围。

8.1.1　平行样分析

平行样分析是指将同一样品的两份或多份子样在完全相同的条件下进行同步分析。一般是做双份平行，对于某些要求严格的测试，例如标定标准溶液、检校仪器等，也有同时做 3 ~ 5 份平行测定的。平行样分析反映的是分析结果的精密度，可以检查同批测试结果的稳定情况。

在日常工作中，可按照样品的复杂程度、所用方法和仪器的精度以及分析操作的技术水平等因素安排平行样的数量。条件允许时，应全部做平行双样分析。否则，至少应按同批测试的样品数，随机抽取 10% ~ 20%的样品进行平行双样测定。一批样品的数量较少时，应增加平行样的测定率，保证每批样品测试中至少测定一份样品的平行双样。

使用经过验证的分析方法进行平行样测定时，其结果的精密度应符合方法给定的室内标准差(或相对标准差)的要求，或按照方法的允许误差进行判断。无论用哪种指标衡量，凡不符合要求时，即应找出原因所在，并重新分析原样品。

8.1.2　加标回收率分析

在测定样品的同时，于同一样品的子样中加入一定量的标准物质进行测定，将其测定结果扣除样品的测定值，以计算回收率。

进行加标回收率测定时，应注意以下各项内容。

(1)加标物质的形态应该和待测物的形态相同。

(2)加标样品和样品中所含待测物浓度应控制在精密度相等的范围内，一般情况下规定：①加标量应尽量与样品中待测物含量相等或相近，并应注意对样品容积的影响；②当样品中待测物含量接近方法检出限时，加标量应控制在校准曲线的低浓度范围；③在任何情况下加标量均不得大于待测物含量的 3 倍；④加标后的测定值不应超出方法的测定上限的 90%；⑤当样品中待测物浓度高于校准曲线的中间浓度时，加标量应控制在待测物浓度的半量。

(3)由于加标样与样品的分析条件完全相同，其中干扰物质和不正确操作等因素所致的效果相等，因此当以其测定结果的差计算回收率时，常不能确切反映样品测定结果的实际差错。

加标回收率的测定率可以和平行样的测定率相同。一般多按随机抽取 10%～20%的样品量做加标回收率分析，所得结果可按方法规定的水平进行判断，或在质量控制图中检验。二者都无依据时，可按 95%～105%的域限做判断。

加标回收率的测定可以反映测试结果的准确度。当按照平行加标进行回收率测定时，所得结果既可以反映测试结果的准确度，也可以判断其精密度。

以上两项质量控制技术都是由分析者本人安排实施的，是自控方式的质量控制技术。

8.1.3 密码样和密码加标样分析

密码样和密码加标样分析，这种质量控制技术适于设有质量控制的专设机构或专职人员的单位使用。由于设有专职人员，就可以将一定数量的已知样品(标准样或质控样)和常规样品同时安排给分析人员进行测定。这些已知样品对分析者本人都是未知样(密码样)，测试结果经专职人员核对无误，即表示数据的质量是可以接受的。

密码加标样由专职人员在随机抽取的常规样品中加入适量标准物质(或标准溶液)，与样品同时交付分析人员进行分析，测定结果由专职人员计算加标回收率，以控制分析测试的质量——测试结果的精密度和准确度。

这是一种他控方式的质量控制技术。测定率可以和平行样及平行加标回收率相同。

8.1.4 标准物质(或质控样)对比分析

标准物质(或质控样)在分析工作中的重要性正日益受到重视，分析工作者常用以检验和判断各种有关问题。

标准物质(或质控样)被用于实验室内(个人)质量控制时，常将其与样品做同步测定，将所得结果与保证值(或理论值)相比，以评价其准确度，从而推断是否存在系统误差，或出现异常情况。一般认为，在同步工作的情况下，工作质量是相同的。当然，在有过失误差、主观倾向性或异常干扰因素未被消除时，是不便于这样认识的。

由于受标准物质(或质控样)的品种、规格所限，选用的标准物质(或质控样)的基体和浓度水平常常难以与样品中待测物浓度的未知性以及同批样品的多样性等相匹配，所以使用标准物质(或质控样)对比分析以控制工作质量时，也存在着明显的局限性。

8.1.5 室内互检

室内互检是要在同一实验室内的不同分析人员之间进行，可以是自控，也可以是他控方式的质量控制技术。由于分析人员不同，实验条件也不完全相同，因而可以避免仪器、试剂以及习惯性操作等因素带来的影响。当不同人员分别测定的结果相一致时，即可认为工作质量是可以接受的；否则，应各自查找原因，并重新分析原样品。

8.1.6 室间外检

室间外检是将同一个样品的不同子样分别交付不同的实验室进行分析。因为不同实验室的各种条件都不尽相同，而且所用方法也不强求一致，所以当其测定结果相符时，即可判断测试结果是可以接受的。如果相互之间的结果不符，则应各自查找原因，并重新分析原样品。

室内互检和室间外检这两种质量控制技术主要是以他控方式进行。由于需要同一样品的多份子样，当样品分装、保存和传输等条件不便实施时，这种技术的应用会受到限制。

8.1.7 方法比较分析

方法比较分析是对同一样品分别使用具有可比性的不同方法进行测定，并将测试结果进行比较。由于不同方法对样品的反映不同，所用试剂、仪器也多有差别，如果不同方法所得结果一致，则表示分析工作的质量可靠、结果正确。但是，正由于不同方法所需手段、试剂等条件相异，手续相对烦琐，一般常规监测中不便使用，多用于重大的仲裁性监测或对标准物质进行定值等工作中。

8.1.8 质量控制图

质量控制图是为了能直观地描绘数据质量的变化情况，以便及时发现分析误差的异常变化或变化趋势所采取的一种统计方式，一般应由专职质量控制人员来执行。

质量控制图以数理统计中的统计检验理论为基础，以连续短暂间隔时间内积累的数据为依据，是一种直观、有效的质量控制手段，可以连续观察分析质量的变化情况，及早发现分析质量的变化趋势，以便采取必要的措施，尽量避免数据出现失控，实验室中常规监测的质量控制常采用这种方法。

以上介绍的几种质量控制技术，虽然从表面上看形式各异，实际上它们都只能各自对同批样品测试结果的质量进行孤立的点估计评价。

8.2 常规检测质量控制技术的特性

上述几种质量控制技术，各自具有一定的特点和局限性，都存在着这样或那样的问题，而其中共有的关键问题，则在于样品的基体和待测物浓度的未知性无法解决。所以，无论使用哪种质量控制技术，都面临着对这两项内容的盲目性。又因为每批样品中都可能包括不同来源、不同类型的样品需要同时安排测定，因而更增加了选用质量控制技术的困难和复杂程度。标准水样一般不含基体组分，而质控样的基体成分，也难以覆盖同批测定的各种类型样品的不同基体组成。即使使用加标回收率测定，也因其测定率仅为10%～20%，只能解决某个或某几个样品的基体效应的困扰，而且加标量也带有一定的盲目性。加标量的盲目性，对那些已经了解其一般变化规律的常规样品而言固然小些，而对其他未知样品，特别是污染源废水的待测物浓度及其复杂多变的基体组成无法掌握而表现了极大的盲目性。同样的问题也给质量控制图带来相同的影响。针对这种情况，在不考虑共有的影响时，对上述各种质量控制技术进行剖析和比较如下。

(1)平行样测定，可反映批内测定结果的精密度，其技术上的局限性是不能反映测定结果的准确度。

(2)平行加标回收率和密码加标回收率的测定，可抵消相同样品基体效应的影响，反映批内测定结果的精密度和准确度。但只能对相同样品测定结果的精密度和准确度做出孤立的点估计，在测定中加标样的各种误差(仪器及操作等)均与样品相同而使误差相互抵消，难以发现某些问题。同理，当加标的物质形态与待测物不同时，也常掩盖误差而造成判断的失误。

(3)密码样测定，如是平行样，可反映批内测定的精密度，如是质控样或标准物质，则可反映测定结果的准确度。但其技术的局限性是使用质控样或标准物质时，仅能对测试质量做出孤立的点估计。

(4)标准物质对比分析，当标准物质的组成及其形态与样品相同或相似时，能反映同批测定结果的准确度。但对同批测定结果的质量仅能给出孤立的点估计，如标准物质的组成或形态与样品不同，则难以确切地反映测试质量。

(5)方法比较分析，按所用方法性能，可以反映测定结果的精密度与准确度。但其技术的局限性是只能对测试质量做孤立的点估计，程序繁复，不适于做常规质控技术使用。

(6)休哈特质量控制图，是以数理统计中的统计检验理论为基础，以连续短暂间隔时间内积累的数据为依据，用简单、直观的图形全面连续地判断工作质量，能反映测试的失控状态、提示工作质量发生异常、比较不同分析人员的技术水平、预报测试质量的异常趋势。x 图反映单次测定结果在一定精密度范围内的波动情况，x–R 图可以反映批内和批间的精密度以及测定的均值在一定精密度范围内的波动情况；而公用质控图无需积累数据，使用简便，且能对工作质量做出统一衡量，还能用于实验室间质量控制。通用选控图不仅具备休哈特质量控制图的特点，还能覆盖方法的全浓度范围。

但质量控制图需在一定时间内积累数据，这增加了一定的工作量。通用选控图需要积累多种浓度样品的数据，计算程序较繁复。

第9章 建立质量体系

9.1 建立质量体系的必要性

当前，检测机构是否有能力向社会出具高质量的检测报告并得到社会各方面的信赖和认可，已成为能否适应市场经济需求的核心问题。因此，检测机构必须十分重视检测工作的质量，以保证出具的测试报告准确、可靠、公正、及时、可信，并以此作为检测机构管理的中心任务。这是检测机构能否得到社会广泛信任的必要条件。

为了满足社会对测试报告的质量要求，水环境检测机构不能仅靠对测试报告的校核和审定把关，而应当对影响测试报告的诸多因素(仪器、设备、环境设施、检测／校准技术、管理和人员等)进行全面控制。将检测工作的全过程以及涉及到的其他方面，作为一个有机的整体，系统地、协调地把影响检测质量的技术、人员、资源等因素及其质量形成过程中各个活动的相互联系和相互关系加以有效的控制，解决质量体系运行中的问题，探索和掌握水环境检测机构质量体系的运作规律，使质量体系不断完善，适应内外环境，持续有效的运行，才能保证检测数据的真实可靠、准确公正。

9.2 质量体系的构成

水环境检测机构为了保证检验数据的科学、准确、公正，满足社会的需求，就要加强实验室的内部管理，建立质量体系。

检测机构要建立质量体系，首先必须了解质量体系的概念，包含质量体系的具体内容。ISO8402：94 对质量体系的定义是：“为实现质量管理的组织结构、程序、职责、过程和资源。”实际上，这种质量体系包含了硬件部分和软件部分，两者缺一不可。首先，对于一个实验室，必须具备相应的检测条件，包括必要的、符合要求的仪器设备、试验场地及办公设施、合格的检测人员等资源，然后通过与其相适应的组织机构，分析确定各检测工作的过程，分配协调各项检测工作的职责和接口，指定检测工作的工作程序及检测依据、方法，使各项检测工作能有效、协调地进行，成为一个有机的整体，并通过采用管理评审，内外部的审核，实验室之间的验证、比对等方式，不断使质量体系完善和健全，以保证检测机构有信心、有能力为社会出具准确、可靠的检测报告。

9.2.1 组织机构

组织机构是指检测机构为实施其职能按一定格局设置的组织单元(部门)，明确各组织单元(部门)的职责范围、隶属关系和相互联系方法，是完成质量方针、目标的组织保证，检测机构建立与质量体系相适应的组织机构，一般要做以下几个方面的工作：

(1)设置与检测工作相适应的检测部门。

(2)确立综合协调的管理部门。

(3)确立各个部门的职责范围及相应关系。

(4)配备与各个部门开展工作所需的资源。

由于每个检测机构开展检验产品项目、检测人员素质等情况的不同，不可能存在一种普遍适用的、固定的、相同的组织机构模式，检测机构必须根据自身的具体情况进行设计。

9.2.2 程序

程序是为实施某项活动所规定的方法。这种方法不是检验工作的“流程”、“顺序”，而是为完成某项具体工作所需要遵循的规定。它主要规定某项工作的目的和范围、应做什么事、由谁来做、如何做、什么时间实施、如何控制和记录，以及采用什么材料、设备和文件等方面。也就是通常所说的“5W1H”(What,Who,When, Where,Why,How)，即何事、何人、何时、何处、何故、如何控制。

9.2.3 职责

职责是指明确规定各个检测部门和相关人员的岗位责任，在质量体系、检测工作中应承担的任务和责任，以及在检测工作中的失误应负的责任，各项职责应明确。

9.2.4 过程

过程是将输入转换成输出的一组彼此相关的资源和活动。任何一个过程都有输入和输出，输入是实施过程的基础，输出是完成过程的结果。既然是彼此相关的资源活动，所以过程又含有价值的转换,其价值的来源就是过程投入的资源和活动所应产生的结果。当然，我们需要的是正增长，在一项检验工作中，成本核算是一个不可缺少的重要环节。

9.2.5 资源

资源包括人员、设备、设施、资金、技术和方法。资源是质量体系的硬件，为了实施检测机构的质量方针、质量目标，检测机构的领导应采取有效措施，提供适宜的资源，以确保各类检测人员的工作能力适应和满足检验工作的需要,仪器设备得到正常的维护，并能根据开展检测工作的需要更新、添置必要的仪器设备，以及对新标准、规范和测试方法的研究。

9.3 建立质量体系的步骤

建立检测机构的质量体系，涉及检测机构内部许多部门，是一项全面的工作。因此，领导对质量体系的建立、改进资源的配置等方面发挥着决策作用。领导的作用不容忽视，特别是检测机构领导层要统一思想、统一认识，步调一致。

9.3.1 宣传培训、全员参与

检测机构在建立质量体系时，要向检测机构的全体工作人员进行《评审准则》和质量体系方面的宣传教育，使检测机构的工作人员了解建立质量体系的重要性，很好地理解《评审准则》的内容和要求，了解他们在建立质量体系工作中的职责和作用，认识到建立健全检测机构质量体系的工作人人有责，而并非是检测机构领导者或个别人员的事情，从而使全体工作人员无论在思想认识上，还是实际行动中都能做到积极响应和参与，不能是一名旁观者，而必须是一名参与者。

9.3.2 确定质量方针和质量目标

质量方针是由组织最高领导者正式发布的质量宗旨和质量方向。质量目标是质量方针的重要组成部分，同时质量方针又是检测机构各部门和全体人员检验工作中遵循的准则。因此，检测机构的领导要尽快结合实验室的工作内容、性质、要求，主持制定符合自身实际情况的质量方针、质量目标，以便指导质量体系的设计、建设工作。

检测机构领导要组织既熟悉实验室业务工作，又熟悉管理工作，能很好地理解《评审准则》及文字表达能力强的实验室有关人员参加质量体系建立的工作班子。

9.3.3 分析现状，确定过程和要素

检测机构的最终目标是提供合格的检测报告，由各个检测过程来完成。因此，必须作为一个有机的整体去考虑各质量体系要素，了解和掌握各要素要达到的目标，按照《评审准则》的要求，结合自身的检测工作及实施要素的能力进行分析比较，确定检测报告形成过程中的质量环，加以控制。

9.3.4 确定机构，分配质量职责

为了做好质量职责的落实工作，检测机构应根据自身的实际情况，筹划设计组织机构的设置。前面已经谈到，由于各个实验室的性质、工作内容不同，不可能存在一种普遍适用的组织机构模式，但有一个共同的原则，就是机构的设置必须有利于实验室检测工作的顺利开展，有利于实验室各环节与管理工作的衔接，有利于质量职能的发挥和管理。

将各项质量活动分配落实到有关部门，根据各部门承担的质量活动确定其质量职责和各个岗位的职责以及赋予相应权限。同时注意规定各项质量活动之间的接口和协调的措施，避免出现职能重叠、谁都不负责任，或职能空缺、无人管理的现象。

9.3.5 质量体系文件化

质量体系很大程度上是通过文件化的形式表现出来的，或者叫做建立文件化的质量体系，是质量体系存在的基础和证据，是规范检测机构检验工作和全体人员行为达到质量目标的依据。因此，制定质量体系文件就是检测机构的质量立法。

质量体系的文件一般包括 4 个方面的内容：质量手册、程序文件、质量计划、质量记录。这一阶段应该对以上各个层次文件的编排方式、编写格式、内容要求以及之间的衔接关系做出设计，并要制定编制质量体系文件的编写实施计划，做到每个项目有人承担、有人检查、按时完成。

通过以上 5 个步骤后，体系文件经批准后向检测机构全体工作人员进行宣贯，质量体系就可以进入试运行阶段。

第10章　质量体系文件编制

10.1　质量体系文件

水环境检测机构需要建立文件化的质量体系，而不只是编制质量体系的文件。建立质量体系文件的作用是便于沟通意图、统一行动，有利于质量体系的实施、保持和改进。所以，编制质量体系文件不是目的，而是手段，是质量体系的一种资源。因此，质量体系文件的编排格式、层次划分、详略程度必须结合检测机构的规模(性质)、检测工作的复杂程度和员工的素质等方面综合考虑，不能随意找个模式照抄照搬，也不必抄标准的条款。

文件是对体系的描述，它不仅是建立和维持检测机构质量体系运行的内部法规、体系存在的基础和依据，也是取信于上级有关部门、认可机构、客户，说明其质量体系、检测能力符合《评审准则》的见证。检测机构不论是初次建立质量体系文件，还是为《评审准则》更新对体系文件进行转换，都应以原有的各类文件为基础、已实施质量体系和符合《评审准则》要求为依据，进行调整、补充和删减后，纳入质量体系受控范围，按《文件控制和维护程序》的要求进行控制。

掌握质量体系文件的特点对编写好质量体系文件是十分重要的。编写的质量体系文件应具备以下特点。

(1)法规性：质量体系文件是规范检测机构全体员工达到质量目标要求最实用、最切实的内部质量法规。质量体系文件一旦经最高管理者或授权人员批准发布，就成为该组织的法规性文件，从组织的最高领导者到每一个员工都必须严格执行。文件的任何更改，必须按规定的程序和方法进行。文件也是评价质量体系实际运作的依据。

(2)唯一性：在一个组织内，只能存在唯一的质量体系文件系统，用以指导、规范质量管理活动的运行，该体系的控制系统也是唯一的；质量体系内的每一项活动，只能有唯一的程序和程序文件，不能出现多个程序文件描述同一项质量过程活动；质量体系中的每一项规范和操作方法只能有唯一的解释，不能出现多种解释或多种解释都成立；在现场活动中只能使用质量体系文件的有效版本，作废文件必须及时撤回或以其他方式标识，防止误用。

(3)适用性：不同的组织，其产品类型、实现方法和管理方式都不相同，因此各组织的质量体系文件必须按自身的需要编制，无统一的标准化格式，要注意其适用性和可操作性。同时，随着内外部环境的变化和发展，应及时修订和补充质量体系文件，以适应变化和发展的需要。

10.1.1　质量体系文件的作用

质量体系文件的作用在于沟通意图、统一行动，有助于满足顾客要求和持续质量改进，同时也是计量认证／审查认可(验收)必须提供并加以有效实施的文件。根据实验室的规模和检测工作的复杂程度等实际情况，在满足《评审准则》的前提下，质量管理体系文件在详略程度、编排格式、层次划分等方面可以不同。

10.1.2 质量体系文件的结构

一般检测机构应首先给出质量体系中所用文件的架构，也就是质量体系文件的层次。

质量手册是第一层次文件，是一个将计量认证评审准则转化为本质检机构具体要求的纲领性文件。因为计量认证评审准则是通用要求，要照顾到各行各业的需求，而各检测机构有自己的业务领域，有自身的特点，所以必须进行转换。质量手册的精髓就在于有自身的特色，它反映了最高管理者对质量体系全面性的、全方位的决策意见，是为最高管理层指挥和控制检测机构用的。第二层次为程序性文件，是检测机构实施质量管理的文件，也是质量手册的支持性文件，主要为职能部门使用。第三层次为作业指导书，是指导某项具体活动或过程的文件，是指导开展检测的更详细的文件，是为第一线业务人员使用的。第四层次的各类质量记录等是质量体系有效运行的证实性文件，也是采取纠正、预防、改进措施的依据。

显然，不同层次文件的作用是各不相同的。要求上下层次间相互衔接，不能有矛盾；下层次文件应比上层次文件更具体、更可操作；上层次文件应附有下层次支持文件的目录。总之，质量体系文件层次划分是根据检测机构所从事的检测范围和习惯而定的，各层次文件可以分开，也可以合并。

质量管理体系文件通常包括质量手册、程序文件、作业指导书、质量计划、记录和报告等。

(1)质量手册是阐明组织质量方针、目标，描述其质量管理体系的文件，是实验室保证检测工作质量的纲领性文件。

(2)程序文件是规定实验室检测工作和质量管理活动(过程)的方法、途径的文件，是质量手册的支持性文件。

(3)作业指导书、质量计划是指导某项具体活动或过程的文件，作业指导书如技术标准、检测方法、操作规程等，质量计划如内部审核计划、仪器设备检定／校准计划、人员培训计划、检测能力验证计划等，它们多是程序文件的补充。

(4)记录是阐明所取得的结果或提供所完成活动的证据文件。记录包括质量管理记录和原始记录。质量管理记录是质量管理体系运行过程中形成的记录，是实验室质量管理体系有效运行的证明，也是采取纠正、预防措施的依据；原始记录则是检测工作形成的检测数据、数据处理的记录，是编制检测报告以及进行检测数据追溯的客观依据。

10.1.3 质量体系文件的编写原则

编制质量体系文件是建立、健全质量体系的重要组成部分，是总体设计后的细化设计。质量管理体系文件在实验室内部是具有法规性、唯一性、适用性的文件。因此，策划、编写时应注意掌握以下原则。

10.1.3.1 系统全面的原则

检测机构建立的质量体系是把质量活动中的各个方面综合起来的一个完整的系统。

质量体系各要素之间不是简单的集合，而是有一定的相互依赖、相互配合、相互促进和相互制约的关系，形成了具有一定活动规律的有机整体。在编写质量体系文件时必须树立系统的观念，从检测机构的整体出发进行策划、设计、编排。对影响检测机构检测工作质量的各项活动进行全过程、全要素、全方位的控制，接口要严密、相互协调、构成一个有机的整体。控制应是闭环的和便于互相监督的，质量体系要覆盖 13 个要素，对影响检测质量的全部因素进行有效的控制。

10.1.3.2 科学合理的原则

质量体系文件的编制要用标准化带动规范化，质量手册、程序文件、作业指导书等文件的编写都离不开标准化文件的指导。适时采用更先进的技术标准，有利于加快检测和管理工作的现代化，早日完成向国际标准的转换。质量体系文件的科学性主要体现在与《评审准则》的一致性。

质量体系文件的合理性则要求结合检测工作的特点和管理现状，对本单位以往质量管理的经验加以总结，这样才能有效地指导检测工作。文件之间要做到层次清楚、接口明确，从一级文件质量手册可查询到相关的三级作业文件(作业指导书、操作规程等)，以保证文件结构合理、协调有序、相互关联。文件在必要时允许有交叉，但逻辑性要强。

10.1.3.3 有效协调的原则

质量管理体系文件应有效，一方面要有利于减少、消除和预防质量缺陷的产生，一旦出现质量缺陷应能及时识别并迅速纠正，使质量活动始终处于受控状态；另一方面，质量管理体系应协调，即层次合理、相互呼应，过程接口应紧密、协调、构成一个有机的整体，既不能相互“交叉”，也不能出现“真空”，避免都管、都不管或无人管的现象。

10.1.3.4 简便适用的原则

质量管理体系文件要在符合《评审准则》要求的前提下，遵循“最简单、最易懂、最易行”的原则编写，并保证质量体系文件的规定都能在实际工作中完全做得到，充分反映检测机构检测和管理工作的实际。编写质量体系文件的目的在于贯彻实施，指导检测机构的检测及管理工作，有助于满足顾客要求和持续质量改进，因此编写质量体系文件时始终要考虑到可操作性。要在符合有关法律法规和《评审准则》要求的前提下，充分结合本实验室质量方针、目标、承诺以及检测和管理工作过程的实际，便于实施、检查、记录、追溯。

10.1.3.5 全员参与的原则

质量体系文件是检测机构质量体系的文件化，为避免质量体系运行中的偏离，应确保各个岗位和部门的每一位员工都熟知自己应该做什么、如何做。实践证明，在编写的过程中始终坚持全员参与的原则，认真听取一线员工的意见，充分调动他们的积极性和创新精神，上下反复沟通，融《评审准则》于检测工作的方方面面，才能保证质量体系文件的科学性、可操作性和有效性。

10.1.4 质量体系文件的编写方法

编写质量体系文件是一项系统工程。在编写时，写作班子一定要按照质量体系文件的编写实施计划的内容要求进行，尽管这个计划可能在实施过程中要进行必要的调整和修改。

质量体系文件的编写可分为以下 4 个阶段。

(1)培训学习阶段：主要是学习国家的有关法律法规知识，学习计量认证／审查认可评审准则等。

(2)调查策划阶段：包括了解组织结构的现状、各部门职能权限的现状、各部门提出需解决的接口问题、现有的管理制度及执行状况、现有的各项标准及仪器设备等情况。

(3)质量体系文件的编写阶段：包括制定编写体系文件格式，制定编写计划分步实施，编写组按照评审准则和检验工作实际情况分工合作进行编写，质量体系文件的研讨、协调，质量体系文件的批准、发布。

(4)质量体系文件的宣贯，质量体系试运行阶段：主要进行质量体系文件的下发、宣讲、贯彻实施，认真检查考核、组织内部考核，根据质量体系试运行，修订质量体系文件，质量体系正式运行。

质量体系文件的编写方法为：

(1)自上而下的编写方法。按质量方针、质量手册、程序文件、作业指导书、质量记录的顺序编写。此方法利于上一层次文件与下一层次文件的衔接，对文件编写人员掌握《评审准则》和质检机构检测知识要求较高。用此方法编写文件所需时间较长。

(2)自下而上的编写方法。按基础性文件、程序文件、质量手册的顺序编写。此方法适用于原管理较好的质检机构，如无文件总体方案设计指导，用此方法易出现混乱。

(3)两边扩展的编写方法。先编写程序文件，再开始质量手册和基础性文件的编写。此方法的实质是从分析活动、确定活动程序开始，有利于《评审准则》的要求与质检机构的实际紧密结合。用此方法可缩短文件编写时间。

10.2 质量手册的编写

10.2.1 概述

按照 ISO9000：2000 中的定义，质量手册是“规定组织质量体系的文件”，其注解为：“为适应组织的规模和复杂程序，质量手册在其详略程度和编排方式方面可以不同。”可以看出，质量手册是阐明一个组织的质量方针并描述其质量体系的相关要素及它们之间关系的纲领性文件。作为检测机构实施、建立、保持质量体系的一级文件，应该对检测机构质量体系的总体概况进行描述，展示质量体系重点需要解决的问题，突出检测机构的质量方针、质量目标和质量承诺；向各级管理人员及第三方审核人员展示质检机构质量体系的总框架，明确检测机构各部门的职责权限及相互关系，并向各级管理人员提供查询所需文件与记录的途径。

质量手册至少应包括：

(1)检测机构基本情况的概述。

(2)最高管理者的质量方针，包括质量目标和质量承诺。

(3)检测机构组织和管理机构的结构，以及它在任一母体组织中的地位和相应的组织框图。

(4)影响检测工作质量的管理、执行、验证及监督等工作部门和(或)人员的职责、权限及相互关系。

(5)关于手册评审、修改和控制的规定。

(6)满足《评审准则》要求的质量管理体系的范围、要素的描述，体系的程序文件或对其引用。

根据实验室的规模和检测工作复杂程度不同，质量手册在详略程度和编排格式方面可以不同。

10.2.2 质量手册的结构及内容

质量手册内容一般由通用性部分、质量体系要素描述和附录部分组成。下面给出以条款顺序为结构编写的例子。

10.2.2.1 通用性部分

(1)封面：检测机构质量体系文件、文件名称、质检机构名称。

(2)内封：检测机构名称、文件名称、文件编号、发行版次、批准人、审核人、编写人、受控状态、发布日期、发放编号、持有人。

(3)委托授权书：母体法人代表授权非独立法人检测机构的最高管理者，行使各种与检测活动相关的职能权利，独立、公正地对客户委托样品实时检测、出具检测报告，并予亲笔手签姓名、日期。

(4)手册颁布令：以简练的文字说明本检测机构质量手册已按《评审准则》编制完毕，并予以批准发布和实施。颁布令必须以检测机构最高管理者的身份叙述，并予亲笔手签姓名、日期。

(5)公正性声明：对于非独立法人的检测机构应由母体单位的法人做出不干涉的公正性声明；另一份由最高管理者做出维护客户合法权益，确保检测结果公正、准确承诺的声明。

(6)人员任命书：包括检测机构最高管理者和管理层领导的任命签字和签发日期等。

(7)修改页：包括修订序号、修订章节、修订内容、修订时间、修订人、批准人与日期等。

(8)目录：列出手册章节号、题目及页码。

(9)概述：一是检测机构简介(名称、地址、通信方式、经历和背景、规模、性质、人力与物力资源等)；二是主体内容和适用范围(检测领域、服务范围、申请认证项目及对应标准号)；三是定义和缩略语；四是联系信息。

(10)质量方针、质量目标及质量承诺。

(11)质量手册的管理：对手册编制、审批、颁布、发放、修改、保存及保密做出规定。

总之，由于各检测机构主体不同，规模不一及服务对象、领域的差异，通用部分章节、主题设计、内容编排可以各具特色，不追求同一模式，以保持不同质检机构的特点，突出适用性，但应与上述的基本内容和要求相吻合，以保证计量法规的一致性和管理的科学性。

10.2.2.2 质量要素描述

质量体系要素描述部分一般按《评审准则》要求的各要素编写，对评审准则的某些特别条款不适用者，可以删除、裁剪，但裁剪一定要慎重。质量要素描述内容包括概述(目的、适用范围)、职责、控制要求、支持文件等。

质量手册要素的描述应体现每个质检机构在对各个要素控制方面的特点，对于《评审准则》中每个要素规定的内容，必须结合自身特点逐个进行描述。一般可以在概述中说明该要素控制的目的和范围；在职责中描述控制此要素的主管责任部门、协助部门和责任人；在控制要求中明确该要素具体按哪个程序进行控制，并对该程序内容作原则性简略叙述；支持文件应为二级文件提供查询途径，即要附上支持程序文件的编号和名称等。

10.2.2.3 附录部分

为使质量手册正文简练，可将检测机构工作人员一览表、仪器设备一览表、质量体系要素职能分配表等一些附表、附图列于附录部分，以下所列附表、附图仅供参考。

(1)申请计量认证项目一览表。

(2)质量体系要素职能分配表。

(3)检测机构工作人员一览表，包括检测参数与检测人员一览表。

(4)代理人委派一览表。

(5)授权签字人识别一览表。

(6)仪器设备一览表。

(7)检测能力分析及分包情况一览表。

(8)仪器设备及其检定/校准一览表。

(9)有证标准物质一览表。

(10)有效检测标准方法一览表。

(11)检测机构组织框图。

(12)实验室平面布置图。

(13)质量体系运行控制图。

(14)程序文件目录。

10.2.3 质量手册的审查与批准

10.2.3.1 内容审查

(1)评审准则的要求是否都已包括。

(2)实际需要是否都已覆盖。

(3)表达是否准确。

(4)此项审查应由编写人员共同完成。

10.2.3.2 格式审查

(1)是否方便修改控制。

(2)是否方便使用。

(3)是否适合管理。

10.2.3.3 职责审查

(1)各部门和关键人员的职责及权限表述得是否准确、全面。

(2)质量体系要素各章节中所描述的职责和权限与“组织和管理”章节中描述的职责

和权限内容是否一致。

(3)质量活动中描述的职责和权限在相应的职责规定中是否有体现。

10.2.3.4 接口审查

(1)有关接口审查和工作关系的描述是否协调、清楚。

(2)各项管理活动是否已形成闭环。

(3)接口方式是否合理。

(4)接口的各个工作环节是否清楚并得到有关部门的确认。

质量手册经审查后，在批准、发布前应由最高管理者组织各部门负责人对其进行评审，确保其系统、准确、适用和结构的合理。

评审一般采用会议的形式。评审应充分保证预期的使用者有机会对手册的适用性、可操作性进行评定和评论。

评审后应吸收评审意见并进一步修改，交最高管理者批准、发布。应保存审查、批准的记录，所有文本应带有批准发放的标记。

10.2.4 质量手册的管理与控制

经批准的质量手册应规定合理的分发和控制方法，无论是按整本还是按章节向接收者提供文本时，应保存发放记录。

管理者(最高管理者、质量负责人、部门负责人)应注意质量手册内容的宣贯，保证实验室内每位使用者熟悉手册中与自己有关的内容。

手册的更改应规定更改的提出、编制、评审、控制的方法，为确保现场使用的每本质量手册现行有效，应使用适当的方法确保手册的持有者能及时接收所有的更改，同时作废的文本应及时收回。对为了投标、顾客的非现场使用以及为其他目的而分发的质量手册不作更改控制时，应明显标识其为非受控文本。

10.3 程序文件的编写

10.3.1 程序文件的含义

程序是指为进行某项活动或过程所规定的途径。程序文件是指含有程序的文件。它是规定实验室质量活动或过程的方法和要求的文件，是质量手册的支持性文件。

由定义可见，程序这个概念的应用很广。为活动所规定的方法都可称做程序，程序往往是人们从事科研、生产活动的经验总结，不一定每项活动都对应有一个书面程序。

但对质量体系的工作程序来说，则必须形成文件，以对质量体系要素所涉及的各项活动进行连续而恰当的控制，保证质量体系持续有效运行，以最终达到实现机构质量方针和质量目标的目的。

从质量体系的角度来看，程序文件是质量体系的重要支撑基础，是质量体系文件的组成部分，是质量手册的支持性、基础性文件，是对质量体系要素的策划，也是质量体系有效运行的必要条件和依据及质量保证的证据之一。它是由组织正式发布的文件，是质量体系活动的依据，具有法规性，必须得到严格实施。

10.3.2 程序文件的结构及内容

程序文件应简明、易懂，一般包括封面、刊头、正文、相关文件、记录表格等，其结构与内容如下。

10.3.2.1 封面

封面一般包括：

(1)“×××××水环境检测机构质量体系文件”字样。

(2)文件名称。

(3)文件编号。

(4)受控状态。

(5)生效日期。

(6)发放登记号。

10.3.2.2 内封

内封的结构与内容有：

(1)“×××××水环境检测机构质量体系文件”字样。

(2)文件名称。

(3)版次号。

(4)文件编号。

(5)编制人。

(6)审核人。

(7)批准人。

10.3.2.3 刊头

刊头包括：

(1)文件类型。

(2)文件名称。

(3)版次号。

(4)修订次数。

(5)文件编号。

(6)受控状态。

(7)页码(第××页共××页)。

10.3.2.4 正文

正文包括对所描述质量活动的目的、适用范围、职责、工作程序和相关文件。

目的、适用范围：简要说明开展这项活动的作用和重要性及其涉及的范围。

职责：明确实施此项程序有关部门人员的职责，相互关系。

工作程序：按顺序列出开展该项活动的细节。明确输入、输出和整个流程中各个环节的转换内容，对人员、设备、材料、环境和信息等方面的具体要求。阐明规定应做的工作和执行者，在何时、何地进行，所使用的仪器设备、依据的文件、控制方式、记录要求及特殊情况处理等。

支持性文件：列出与本程序相关的其他程序文件或有关标准／规范的名称及编号。

记录：列出开展此项活动用到或产生的记录表格的名称及编号。

10.3.2.5 刊尾

在必要时对有关情况加以说明(如文件编制或修订的有关说明)。

10.3.3 程序文件的审查与批准

程序文件的审查目的是保证程序文件的规定是切实可行的、程序文件的表述是唯一的、各项活动接口的处理是合理的，以及程序文件与质量手册的规定是协调统一的。

程序文件审查内容如下。

10.3.3.1 是否符合标准要求

(1)审查程序文件清单，看是否覆盖了质量体系要素及有关质量活动。

(2)审查各个程序文件，看是否覆盖了对质量活动的控制要求。

10.3.3.2 与其他质量体系文件是否协调一致

(1)与手册内容是否一致。

(2)与其他管理性文件不矛盾。

(3)与相关技术性文件不矛盾。

(4)相互引用程序内容协调统一。

10.3.3.3 是否适合于质量体系运作

(1)质量活动方式适合现行质量体系运作。

(2)人员的职责明确，权限清楚。

(3)各项活动所需的资源能得到保证。

(4)程序规定的要求在实际运作中都能够达到。

10.3.3.4 逻辑上是否完整

(1)按逻辑顺序对质量活动展开描述。

(2)对各项活动的描述有始有终，形成闭环。

10.3.3.5 是否具有可操作性

(1)目的明确、方法清楚、切实可行。

(2)按活动顺序清楚地规定工作步骤。

(3)规定应保留的记录，为事后监督检查提供依据。

(4)措辞准确严谨，实现“唯一理解”，执行时不易引起混淆。

10.3.4 程序文件的管理与控制

经批准的程序文件，应规定对文件的编制、批准、发放、使用、更改、作废和回收等进行控制的合理方法，确保相关部门和相关人员及时得到并使用有效的版本，防止误用失效或作废的文件。

管理者(最高管理者、质量负责人、部门负责人)应注意程序文件内容的宣贯学习，保证每位使用者都能够严格按照程序文件的要求，指导和规范自己的实际工作。

不适用或新增加的工作内容要及时地更改或编制新的程序文件，并规定相关内容的提出、编制、评审、控制的方法。经批准更改后或新技术程序文件，要确保使用者能及时接收，同时作废的文本应及时收回。不作更改控制时，应对其明显标识为非受控文本。

10.4 质量记录的编制

10.4.1 记录的定义

记录是阐明所取得的结果或提供所完成活动的证据的文件。质量记录为满足质量要求的程度或质量体系要素运行的有效性提供客观证据。质量记录的目的是为证实可追溯性以及采取预防措施等提供依据。记录可以是书面的，也可以是其他方式储存的资料。

记录一般分为质量管理记录、技术记录。

10.4.1.1 质量管理记录

质量管理记录应能客观反映质量管理活动和体系运行的实际情况，是质量活动追溯、纠正或预防的依据。质量管理记录最好以表格的形式表述，每种记录的格式应规范、统一、便于管理。质量管理记录的信息应完整、客观、准确。填写应及时，用钢笔或签字笔，同时应规定适当的保存期限，安全、妥善保管。

10.4.1.2 技术记录

技术记录是检测工作形成的检测数据、数据处理的记录，是编制检测报告以及进行检测数据追溯的客观依据。技术记录应按照相应的检测依据的要求设计出规范、统一的表格。技术记录的信息应完整、客观、准确，原始观测记录(包括图表等)、数据处理以及检测报告副本等应完整。技术记录应注意使用法定计量单位，填写应及时并用钢笔或签字笔，更改应规范，一般由检测人执行更改，同样应规定适当的保存期限，安全、妥善保管。

10.4.2 对质量记录的编制要求

(1)质量记录的充分性和必要性。原始记录从总体上讲应该完整，所含信息量要能准确反映对象全貌。

(2)质量记录应标准化。质量记录应尽量采用国际、国内或行业标准，使用规范化格式。

(3)经济实用。原则是实用、真实、可靠，不搞花架子。

(4)制定质量记录收集、归档、调用、检索和保存期限。

第11章　质量体系的实施

11.1　质量体系运行

质量体系运行是一个执行文件、实现目标、保持质量体系持续有效的过程。体系文件必须得到贯彻实施，才能达到控制各项影响检测报告质量因素的目的，保证最终检测报告符合规定的要求。正如前面所说，编写文件不是我们的最终目的，体系文件制定得再好，如果不认真执行，也是一纸空文，无法起到控制质量的作用。建立质量体系既要求“有法可依”、“有章可循”，也要求“执法必严”、“违法必纠”，即要求坚决执行。

11.1.1　质量体系运行要求

在质量体系建立后，实际上质量体系的运行是执行质量体系文件、贯彻质量方针、实现质量目标、保持质量体系持续有效和不断完善的过程。质量体系运行的有效性主要体现在：各项质量活动都处于受控状态，依靠质量体系的组织机构进行组织协调，依靠质量监控、质量体系评审和审核、验证试验等方式自我完善和自我发展，具备减少、预防和纠正质量缺陷的能力，使体系处于一种良性循环的状态。为此，检测机构在质量体系运行中要做到以下几点。

11.1.1.1　全员参与，不断增强建立良好实验室的信心和机制

实现检测机构的质量方针和目标单靠领导的努力是不行的。全体工作人员是实现这一目标的主体，要充分发挥每个成员在质量体系中的作用。要求所有员工既要有履行本岗位职责的能力，又要有自觉履行职责的积极性和责任感。同时要对所有员工进行职业道德教育、质量意识教育和职业技能的培养。制定激励措施，使员工在质量体系运行中，始终有参与质量体系改进的积极性和能力，主动分析自身体系的差距，以求不断接近和达到良好实验室的水平。

11.1.1.2　检测机构的领导要重视质量体系的运行，做好管理评审

检测机构的领导要充分认识到质量体系文件的发布实施，只是标志着质量体系才刚刚开始运行，质量体系文件编写得再好，不等于质量体系运行得好。检测机构的领导要以身作则，发挥领导的作用，充分认识管理评审是完善实验室质量体系的重要手段。领导应亲自组织质量体系的评审，根据评审结果、质量反馈等信息，有计划、有重点地对质量体系运行的有效性进行调查、分析，实事求是地对质量体系的运行做出评价。对发现的缺陷，要结合检测机构的质量方针和质量目标，提出有针对性的改进措施，并对质量体系文件进行相应的修改或补充，确保质量体系有效运行。

11.1.1.3　建立监督机制，保证工作质量

质量体系的运行过程中，各项质量活动及其结果可能会发生偏离规定的现象。因此，必须加强对各项质量活动的监控。检测机构可以在质量管理部门设置质量监督职能，按《评审准则》的要求在各实验室和相关部门设立专(兼)职质量监督员，形成质量监督系

统。这个系统的主要任务是在职责范围内依据质量体系文件监督各项质量活动按体系规定的条件运行。监督范围包括质量形成的全过程。实验室负责人应明确赋予监督系统权力，其中包括纠正偏差、提出整改通知书等。监督管理人员要对日常监督中发现的问题记录并保存，作为质量审核和质量考核的材料。

实验室通过采用《评审准则》中规定的“校验方法”对质量结果进行控制。实验室根据自身情况和特点选用这些方法，编制实施计划或相应的规定，定期对采用的“校验方法”进行有效性评审，以便从中得到改进和提高质量。

11.1.1.4 认真开展审核活动，促进质量体系不断完善

检测机构进行质量体系审核和评审，是质量体系自我完善、自我提高的手段。质量体系审核活动是一项重要的质量活动，是对质量体系是否按体系文件运行的评价，要确定质量体系的有效性，并对运行中存在的问题采取纠正措施。

检测机构负责审核的部门按要求编制质量体系审核计划，统筹安排质量体系各个要素的审核内容、顺序、要求、进度和频次。对重要的因素和薄弱环节可以增加审核频度。将审核结果及时报告检测机构领导，对不合格项的责任部门发出不合格项通知书，以便在规定的时间内采取纠正措施，并对其实施跟踪检查。

11.1.1.5 加强纠正措施的落实，改善质量体系运行水平

纠正措施是改善和提高质量体系运行水平的一项重要活动，是质量体系自我完善的重要手段。不论是在质量体系审核中还是在日常监督和用户抱怨中暴露的问题，实验室都应及时对这些问题产生的原因进行调查，分析相关因素，有针对性地制定和落实纠正措施，并验证纠正后的效果。对于纠正效果不明显的，要进一步采取措施，直至有明显改进。必要时将这种措施编入质量体系程序文件中，防止类似问题的重复出现，达到改善和提高质量体系运行水平的目的。

11.1.1.6 适应市场经济，不断壮大自己,提高检验能力

随着市场经济的发展,新产品的不断涌现,产品标准和测试方法也应不断更新。为此，检测机构应密切关注形势的发展和检验市场的需求，制定实验室的技术发展规划，包括检验仪器设备的更新和添置、实验室环境的改善、检验人员的新知识培训及补充新的、符合要求的人员，以满足新技术、新方法、新项目所要达到的目标，从而提高实验室的检测水平。

质量体系有效运行并能够不断完善，一方面需要质量体系运行主体——检测机构全体员工按照质量体系文件的规定指导和规范自己的行为；另一方面需要检测机构运用好体系的监督机制，从过去开环式的管理模式转变为闭环式的管理模式，使质量体系得到不断改善，适应内外部环境的变化，持续改进和发展，实现检测机构的质量方针和质量目标。

11.1.2 质量体系运行控制内容

质量管理体系运行过程中，控制的内容包括“组织和管理”、“质量体系、审核和评审”、“人员”、“设施和环境”、“仪器设备和标准物质”、“量值溯源和校准”、“检验方法”、“样品管理”、“记录”、“证书和检测报告”、“检验工作的分包”、“外部支持服务和供应”、“抱怨”13 个要素，对这 13 个要素按工作时间顺序进行归

纳，则控制内容可包括以下 3 个方面。

11.1.2.1 对过去所完成活动的记录和档案的控制

过去所完成的工作在很大程度上影响和指导着现在正进行的活动，因此必须重视对过去所完成活动的证据——记录和档案加以评价和控制。通常包括：

(1)对检测机构质量管理体系文件及质量管理记录的控制。

(2)对技术标准和技术规范的有效性控制。

(3)对检测报告和原始记录的正确性的控制。

(4)对人员培训、考核、技术素质(包括经历)、资格条件等业绩档案的控制。

(5)对仪器设备的技术档案(包括购置、验收、溯源、使用、维护、修理等过程和结果的记录)的控制。

(6)对外部支持服务单位和供货商，以及分包方的资格、能力及工作质量的审核与评价结果的控制。

(7)对顾客反馈的信息、抱怨的处理以及采取纠正措施的记录和控制。

(8)对日常监督检查、内外部审核、管理评审以及能力验证的记录和控制等。

11.1.2.2 对正在进行的检测过程的控制

检测是检测机构几乎每天都需要进行的活动。检测活动可以大致分为 3 个阶段：准备阶段、实施阶段、核查阶段。各个阶段控制内容的侧重点有所不同。

准备阶段：准备阶段应侧重于对各类资源的检查控制，如人力资源的调配和安排、温度和湿度等环境条件的检测、样品的配置和检查、检测仪器设备的调整与核查、检测方法的确认和熟悉等。准备阶段应注意记录。

实施阶段：实施阶段应侧重于对各类资源的综合利用，要求检测人员按照已确认的、现行有效的检测方法和质量文件的规定，认真检测并及时、客观、准确地进行记录。实施阶段还应注意防止来自外部、内部的可能影响检测工作质量的不恰当的干扰，确保检测工作公正、准确。

核查阶段：核查阶段应侧重于对实施的检测工作的核查，包括对被检样品、仪器设备的状态的核查，对检测依据、检测方法、检测步骤的核查，对检测的原始数据及数据计算、数据处理的核查，对出具的检测报告的核查等。

11.1.2.3 对将要进行的活动过程的控制

质量管理体系的有效控制不仅表现在对已发生的和正在进行的活动的控制，还应包括对将来可能发生的事件给予有效的控制，如对将要开展的新的检测工作的控制；对偏离方针、政策或质量管理体系文件的例外许可的控制；通过日常监督检查、内外部审核、管理评审以及顾客抱怨或期望等途径，对识别的不合格工作或潜在的不合格因素所采取的纠正措施或预防措施的控制等。

对将要进行的活动的控制应充分考虑对过去所完成活动的记录和档案的评价，持续质量改进，使控制形成一个增值的闭环系统。

11.1.3 质量管理体系运行控制方法

质量管理体系的有效运行取决于质量体系的有效控制，质量管理体系的有效控制又取决于行之有效的控制方法。每个检测机构应针对自己的实际情况、工作特点和经验，策划、制定出具有自己特色的控制方法。以下几点可供参考。

(1)对检测机构管理职责的控制，可采用制定质量方针和质量目标与建立质量责任制相结合的方法。

检测机构的质量方针是由检测机构的最高管理者正式发布的、和质量有关的、与检测机构的总方针相一致的宗旨和方向。质量目标是检测机构依据质量方针制定的在质量方面所追求的目标。质量目标应建立在质量方针的基础上，在质量方针的框架内展开。

(2)对检测过程和结果的控制，可采用日常监督与能力验证相结合的方法。

对检测过程和结果的日常监督可以及时发现问题并予以纠正，一般包括质量管理部门的定期或不定期的随机抽查，各部门质量监督员的连续、全面的监督，校核人员对检测过程和结果的复查、核验等。

能力验证是通过实验室之间的比对来判定实验室的检测能力，确定实验室是否具有胜任所从事的检测工作的能力，以及为了监控实验室能力的持续性而开展的活动。常见的能力验证活动有测量比对计划、实验室间检测计划、定性计划、部分过程计划等几种类型。实验室可以根据其自身的特点和情况，有选择地开展或参加。

(3)对在用仪器设备的控制，可采用定期溯源与运行核查相结合的方法。

对检测结果的测量不确定度或准确度有影响的所有在用仪器设备均应定期溯源(如定期检定、校准或比对等)，以确保单位制的统一，量值的准确可靠。

运行核查是上一次和下一次的检定、校准和比对的时间间隔内，采用核查标准对具有重要影响的、计量性能稳定性可信度差的、频繁搬动或工作环境恶劣的以及脱离实验室直接控制的计量标准或检测设备的计量性能进行运行检查。

(4)对质量管理体系适宜性、运行有效性的控制，可采用内部审核和管理评审的方法。

审核是为获得审核证据并对其进行客观的评价，以确定满足审核准则的程度所进行的系统的、独立的并形成文件的过程。内部审核是由检测机构自己或以检测机构的名义聘请非本检测机构的评审员而进行的审核，内部审核可作为检测机构声明自身合格的基础，尤其是作为完善和改进质量管理体系的依据。内部审核的结果是管理评审的主要输入信息之一。

管理评审是为了确保质量管理体系的适宜性、充分性、有效性和效率，以达到规定的目标所进行的活动。管理评审由检测机构最高管理者组织实施。

(5)对不合格工作的控制，可采用预防与纠正措施相结合的方法。

11.2 内部质量体系审核

开展内部审核是为了查明质量体系的实施效果是否达到了按检测机构的目标所建立的质量管理体系的要求，及时发现存在的问题，以便通过采取论证和预防措施，来进一步提高质量管理体系的符合性和有效性。

内部质量体系审核是检测机构自己对自己的审核，是一种自我约束、自我改进、自我完善的活动，是质量体系在进行第二方审核和第三方审核之前的准备工作。内部审核的目的就是改进检测机构的质量体系，使之符合《评审准则》的要求，确保质量体系的有效运行。

11.2.1 审核的目的

内部质量体系审核是检测机构自己对自己的审核，是一种自我约束、自我诊断、自我完善的活动。进行内部审核的主要目的是：

(1)发现问题，解决问题。通过自我检查、诊断，发现问题，并用健全的途径有效地分析问题产生的原因，从而解决问题，防止同类问题的再次产生。

(2)促进内部交流与合作。由于内部审核要求由独立于被审核领域的人员进行，因此内部审核通常是由检测机构内不同部门或不同岗位的人员相互进行交叉审核，这样可以促使不同部门之间增进了解，更好地了解与本部门合作的其他部门的质量活动情况，在相互合作中增加主动配合的可能性。因此，内部审核可强化团队意识和整体的凝聚力。

(3)展示质量保证能力。内部审核可以验证质量管理体系的符合性、有效性和适合性，可以作为客户(第二方)或其他公正机构(第三方)衡量其质量保证能力的重要依据之一，从而可以增加客户、社会对检测机构的信任感。

(4)提供培养和发现人才的机会。内部审核是一项系统性较强的工作，参与此项活动可以锻炼内审员的组织协调和分析判断能力，这是培养管理人才的绝好方式。同时，通过内部审核，可以发现理解力强、执行力好且成绩显著的工作人员，并为这些人员发挥才干提供了机会。

(5)促使质量管理体系持续地保持其有效性。质量管理体系的运行是一个动态的过程，每发现并解决一个问题，都会增强一些体系自身的“免疫力”和适应性。通过内部审核，使质量管理体系不断地得到改进和完善，可以使体系处于动态更新之中，持续地保持其有效性。

11.2.2 审核的原则

为确保内部审核的有效性和效率，应坚持审核的客观性、独立性和系统性三个重要原则。

11.2.2.1 审核的客观性

(1)所获得的审核证据必须是与评审准则有关的并且能够证实的记录、事实陈述或其他信息。审核证据应包括存在的客观事实、受访的负有责任的人员陈述、现有的文件记录。审核证据应是事实描述并可验证，不含有任何个人推理或猜想的成分。审核人员应采取正当手段获取客观证据，并在此基础上形成审核证据。

(2)审核应对收集到的证据根据评审准则进行客观评价，以形成审核发现。

(3)审核发现是“将收集到的审核证据对照评审准则进行评价的结果”，审核发现可分为符合项或不符合项。

(4)审核是一个形成文件的过程，包括审核计划、审核检查表、现场审核记录、不符合项报告、审核报告、首次会议和末次会议记录等。

11.2.2.2 审核的独立性

(1)审核是被授权的活动，授权来自管理者的决策、机构的规定、合同的要求，审核来自委托方和法律法规的要求。

(2)内审员在整个审核过程中应保持公正，避免利益冲突。

(3)内审员须遵守职业规范，如办事准则、保密要求等。

(4)内审员应是与受审核活动或区域无直接责任的人员。

(5)在《评审准则》审核证据的基础上对受审核方进行客观评价。在不能证明受审核方有错的情况下，应认为其是对的。

11.2.2.3 审核的系统性

(1)审核包括文件审核和现场审核两个方面，在文件审核符合的情况下，才能进行现场审核。文件审核的重点是检查质量体系文件执行过程的符合性、充分性和有效性。符合性是指质量活动及其有关结果是否符合《评审准则》，有效性是指质量体系文件是否被有效实施和达到预期的目标。审核只有包括上述两个层次的内容才能构成一次完整审核，仅审核其中任一层次内容都不能得出正确的审核结论。

(2)审核前应进行策划，以确保审核实施的有效性、一致性及审核结论的可信性。

(3)审核是利用已建立的方法和技巧，确保审核证据和审核发现的相关性、可信性和充分性的活动，因此彼此独立的审核组对同一对象的审核结论应得出类似的结论。

(4)审核应按计划和检查表进行，审核计划通常按部门或活动来编写，并强调安排对领导层的审核；检查表应列出对受审部门主要活动的审核内容和方法。

(5)审核的系统性是在一定的审核范围内实现的，在审核前首先应确定审核范围。

11.2.3 审核依据及范围

11.2.3.1 审核依据

质量体系内部审核的依据，通常是按审核的目的和对检测机构自身的重要程度来确定的。以其采用的优先次序可以概括为：

(1)质量体系文件，包括质量手册、程序文件、作业指导书、质量计划等。

(2)质量体系标准，如《计量认证／审查认可(验收)评审准则》等。

(3)国家或行业的有关法律、法规或标准。

(4)计划或方案。

以上依据应该，并且通常也是相互协调一致的，即在质量体系文件中，应包含或引用有关的法规和标准。

11.2.3.2 审核范围

内部审核可以针对质量体系所涉及的所有要素、所有部门或活动、所有产品或服务进行，也可只针对其中的部分内容进行，如管理重点、管理难点、问题出现集中且频繁的部门或活动等。也就是说，审核的范围取决于审核的目的。审核内容主要包括以下几个方面：

(1)上次审核不合格项的纠正措施的实施情况。

(2)质量体系的组织结构是否与所进行的质量活动相适应。

(3)质量体系各要素实施运行的符合性和有效性。

(4)有关的各项制度、规章、办法和作业指导书等是否认真执行。

(5)资源配置是否满足质量体系的要求。

(6)记录是否充分、清晰、可追溯。

11.2.4 审核方法

11.2.4.1 纵向审核法

纵向审核法是按样品自然流向审核(检测样品从客户进入实验室，沿着检测合同、样品接收、样品处置，开展正常检测活动的自然流程一步一步、一个过程接一个过程地进行，直到最后得出结果写成报告交付给客户)。纵向审核法能审核直接有关的要素，其优点是真实直观，过程与过程或要素与要素接口上的问题可以得到充分审核；缺点是有些间接要素及要素的策划与设计难以审核到。

11.2.4.2 横向审核法

所谓横向审核法是相对于纵向审核法而言的。检测机构是一个综合体系，它的检测样品是多样的，检测活动也是多种多样的。纵向审核无法覆盖检测机构质量体系的所有要素、所有活动，特别是间接要素和全部要素不一定都能审核到。而体系要素的全面、综合策划和设计是非常关键的，所以必须依靠横向审核作为审核的基础。横向审核的优点是全部要素,包括间接要素及直接要素的全面系统策划和设计都可无一遗漏地审核到；其缺点是接口上的问题难以充分审核。所以，如果审核中能将纵向审核与横向审核相结合，就可以把质量审核做深、做透、做全面。

11.2.5 审核要求及要点

11.2.5.1 审核要求

(1)预先设定时间表和计划。通常是每年年初做出本年度的内部审核时间表和计划，如今年计划组织几次内部审核、预定时间在几月、预定审核内容分别为哪些要素及部门或活动等。检测机构要有“预先设定的时间表”，因为内部审核不同于突击检查，是一种有计划的活动。

(2)预先建立内部审核程序。内部审核是检测机构在质量体系运行过程中自我诊断、自我提高、自我完善的一个过程，所以必须要先建立内部审核程序，对内部审核工作本身的目的、要求、步骤做出具体、严格的规定，才能保证内部审核的顺利实施，并达到内部审核的效果和目的。

(3)质量主管负责组织安排。因为内部审核的目的是验证检测机构运行持续符合质量体系和《评审准则》的要求，而质量主管的责任就是确保质量体系在任何时候均能得以贯彻和执行，所以质量主管有责任按照预定的时间表和管理层的要求安排与组织内部审核活动。

(4)内审员应满足一定的条件。参加内部审核的人员必须经过有关知识的培训并具备资格，但并不强调必须经过哪一个级别的培训，如国家级、地区级等，关键是由内部审核的效果来判断内审员是否具备了必需的技术知识、质量体系标准知识、审核技巧等。同时，要求内审员应尽量独立于受审核活动，以保证内部审核的公正、客观和有效。

(5)内部审核周期不大于一年。即一年的内部审核计划中，可以包括几次审核，但全年应覆盖质量体系的所有要素和所有检测活动。

11.2.5.2 审核要点

(1)质量体系符合性的审核。文件化的质量体系是否符合《评审准则》的要求，即所谓“该写的都得写到”、“写到的应该做到”，也就是文件化质量体系中质量手册、程序文件、作业指导书中写到的都应做到，做到的都应留下适当的记录。

(2)检测过程控制能力的审核。质量体系由要素或过程组成，检测过程对检测质量有直接影响。检测机构为了保证检测的质量，首先应注意检测过程的质量控制。检测机构应使检测过程成为一个稳定的、受控的、可预测的和不断改进优化的过程。一旦出现异常，应由监控系统迅速识别并加以纠正，防止重复发生。

(3)检测技术能力的审核。必须对本检测机构申请计量认证的技术能力进行审核，以明确本检测机构是否真正具备申请计量认证的技术能力。要从人员、设施和环境条件、检测方法、仪器设备、量值溯源性、采样、样品处理、检测结果的质量控制、检测报告等各方面进行全面的评价。

(4)质量体系运行有效性的审核。应审核所有与质量有关的过程及这些过程的相互作用是否已被确定；这些过程是否均按已确定的程序和方法运行，并处于受控状态；质量体系是否通过组织协调、质量控制、内部审核、管理评审、纠正措施的实施等方式进行自我完善和自我改进，具备预防差错和纠偏的能力，并处在良性循环、持续改进的良好状态。

11.2.6 内部审核程序

内部审核是按检测机构质量体系文件的要求进行的，一般步骤如下。

11.2.6.1 内部审核计划的制定

按检测机构质量体系内部审核程序的规定，制定年度审核计划。实施审核时，则应按照年度审核计划的原则制定审核活动计划，指导审核工作。

制定年度审核计划是为了保证内部审核工作的正常、有效进行，且便于管理、监督与控制，一般包括审核的时间、目的、要素、范围、依据、负责人以及编制人、批准人、编制日期等。年度审核计划应形成文件，由质量主管(通常称为质量负责人)编制后，以文件的形式发放。

11.2.6.2 内部审核的准备

内部质量体系审核是一项系统性的活动，审核准备工作是现场审核之前必须落实和完成的任务，制定实施计划的目的是使内审员预先掌握一定的信息和数据，明确审核过程中的分工与合作，以便有效地控制审核进程，按计划圆满完成审核任务。若要使审核能够进行得有条不紊且有的放矢，就必须花费一定的时间和精力进行细致周全的审核准备工作。准备阶段的工作做得越细致，现场审核就可能越深入；准备工作做不好，会降低审核效果，甚至使别人对审核结果产生怀疑。审核准备工作依次进行的步骤具体如下。

1)明确审核内容

开展内部审核是质量体系运行过程中的必然要求。但是每次内部审核可以有所侧重，即审核的目的、范围、深度、时间和方式都可以有所不同，也只有这样，才能显示出内部审核的作用和价值。作为内部审核的主管，在每次接受内部审核任务之际，首先一定要确定本次审核的目的、范围、时间、深度以及审核方式。

2)确定审核组规模和成员

为了能使内部审核工作顺利进行，必须恰当地指派内部审核小组的成员。通常在内部审核程序中对如何确定审核组的规模和成员，特别是由谁担任审核组长，应做出规定，并从以下几个方面考虑：

(1)评估确定工作量，这与审核本身的要求、检测机构的特点和内审员的经验有关。

(2)识别审核所需的专业技术技能。

(3)保证内审员与被审核部门的相对独立性。

(4)人员组成上要注意管理人员与一般岗位工作人员的比例。

(5)审核技巧与个人特长。

3)制定内审实施计划

制定内审实施计划则是按年度审核计划的原则，对实施本次审核活动的具体安排，重点确定审核组成员、分工，审核活动的具体计划安排以及首次、末次会议的时间，参加人员等。审核活动计划同样应形成文件，由审核组长制定并经质量主管批准后执行。内审计划表见表 11-1。

表 11-1　×××××水环境监测中心质量体系内审计划表

<table>
<tr><td>审核目的</td><td colspan="6"></td></tr>
<tr><td>审核范围</td><td colspan="6"></td></tr>
<tr><td>审核依据</td><td colspan="6">《计量认证／审查认可（验收）评审准则》，质量体系文件，适用的法律、法规</td></tr>
<tr><td>审核日期</td><td colspan="2"></td><td>制定人</td><td></td><td>制定日期</td><td></td></tr>
<tr><td>批准人</td><td></td><td>批准日期</td><td colspan="2"></td><td>报告发布日期</td><td></td></tr>
<tr><td>审核组名单</td><td colspan="6">组长：
第一组　组长：　　组员：
第二组　组长：　　组员：</td></tr>
<tr><td colspan="2" rowspan="2">各组审核部门</td><td colspan="2">第一组</td><td colspan="3">业务室、仪器室</td></tr>
<tr><td colspan="2">第二组</td><td colspan="3">实验室、综合室</td></tr>
<tr><td colspan="2">时　　间</td><td colspan="2">工作内容</td><td colspan="2">内审员</td><td>备注</td></tr>
<tr><td rowspan="2">2004.7.6</td><td>实验室</td><td colspan="2"></td><td colspan="2"></td><td></td></tr>
<tr><td>综合室</td><td colspan="2"></td><td colspan="2"></td><td></td></tr>
<tr><td rowspan="2">2004.7.6</td><td>业务室</td><td colspan="2"></td><td colspan="2"></td><td></td></tr>
<tr><td>仪器室</td><td colspan="2"></td><td colspan="2"></td><td></td></tr>
</table>

4)发布审核通知

内部审核是有组织有计划的系统性检查活动，不同于突击抽查。要圆满完成审核任务，需要检测机构各相关部门人员共同配合和支持。所以，一旦审核决定形成并确定了审核组的规模和成员，就应该发布正式通知让所有被审核部门了解。在发布审核通知时，建议采用正式的书面通知，并且可以用签收的方式形成记录，以确认被审核部门已充分了解有关审核的安排。审核通知应包含以下内容。

(1)审核日期：一般应至少提前一周通知确切的审核日期。

(2)审核目的、范围和方式。

(3)审核依据：如质量管理体系文件、标准法规等。

(4)审核组成员名单。

(5)要求被审核部门或人员配合的事项。

(6)对审核结果的处理方式。

5)收集审阅必要的信息

根据所确定的审核目的，应事先了解并收集现场审核所必需的信息，然后分工进行审阅，从中找出可以参照的线索。其信息一般包括：

(1)被审核部门的基本情况。

(2)涉及的主要技术规范和标准、法规。

(3)质量管理体系文件(质量手册、程序文件、作业指导书等)。

(4)上次审核的情况。

(5)客户抱怨或投诉信息等。

6)编制现场审核检查表

审核检查表(见表 11-2、表 11-3)是内部审核检查内容的清单，也是内审员进行审核的重要工具和工作文件，编制审核检查表是内审员进行审核准备的一项重要工作内容。由于审核的目的不同，审核检查表的内容也有所不同，审核覆盖面、审核对象的规模及复杂程度等决定检查表内容的多少，但其主要内容应包括拟审核的项目、需寻找的证据、依据文件的要点、抽样方法和数量，以及完成该项审核的时间等。审核检查表可以根据需要来设计，考虑的原则应对照《评审准则》的要求。

表 11-2　×××××水环境监测中心内部审核检查表(1)

<table>
<tr><td>被审核部门</td><td></td><td>部门负责人</td><td></td><td>审核时间</td><td></td></tr>
<tr><td>审核的目的和范围</td><td colspan="5"></td></tr>
<tr><td colspan="2">审核依据</td><td colspan="2">审核内容</td><td>审核中发现的问题及评价</td><td>备注</td></tr>
<tr><td colspan="2"></td><td colspan="2"></td><td></td><td></td></tr>
<tr><td colspan="2"></td><td colspan="2"></td><td></td><td></td></tr>
<tr><td colspan="2"></td><td colspan="2"></td><td></td><td></td></tr>
<tr><td colspan="2"></td><td colspan="2"></td><td></td><td></td></tr>
</table>

内审员：　　　　年　　月　　日　　　　　　　　审核组长：　　　　年　　月　　日

表 11-3　×××××水环境监测中心内部审核检查表(2)

<table>
<tr><td>审核要素</td><td>审核内容</td><td>审核结果</td><td>审核说明</td></tr>
<tr><td rowspan="3"></td><td></td><td></td><td></td></tr>
<tr><td></td><td></td><td></td></tr>
<tr><td></td><td></td><td></td></tr>
<tr><td rowspan="3"></td><td></td><td></td><td></td></tr>
<tr><td></td><td></td><td></td></tr>
<tr><td></td><td></td><td></td></tr>
</table>

内审员：　　　　年　　月　　日　　　　　　　　审核组长：　　　　年　　月　　日

在制作检查表时要注意，质量体系审核虽然是一种抽样检查活动，但检查的内容要涉及与审核目的相对应的质量体系的所有要素，作为内部审核还要尽可能涉及相关的所有部门。在每个要素或部门中，都不可能也不必要对所有的质量活动进行逐一检查，但抽样要有代表性。抽什么样本、抽多少数量、如何抽取等内容，一般要与所检查的问题一起在制作检查表时考虑，必要时应书面记录下来。每个要素、过程或部门通常都有其典型的固有偏向或问题，所以在编制检查表时应抓住主要矛盾进行抽样检查，这样可起到事半功倍的作用。在制作检查表时还应注意，审核是有时间限制的，为保证审核进度，应考虑对每一问题进行检查时所允许的时间。此外，内部审核一般以部门来分工，要注意不同小组或内部内审员的核查表中，对某一要素既要避免过多的重复审核，又要避免没有涉及。检查表作为内审员的一种工具确实很重要，但不应该将其作为文件性的强制要求来僵化审核行为。根据实际情况，在审核过程中可以调整或改变检查表的内容。同时，最好不要每次都使用同样的检查表，因为对被审核部门来讲，事先知道检查内容可能会产生误导，重视一些问题的同时会疏忽另外一些问题，最终会使审核流于形式。

检查表是内审员搞好内审的重要工具，它可以帮助内审员明确与审核目标有关的样本，使审核程序规范化，确保审核按计划进行，保证审核的范围，落实审核的抽样方法，有弥补年轻内审员经验不足等优点。

现场审核中经常使用的检查表一般按审核方式可分为要素检查表和部门检查表。要素检查表是按要素将对应的准则条款及体系文件要求分散在多个部门中进行编制的，内容能够充分说明该要素是否在体系运行中起到应有的作用。部门检查表是在部门分析的基础上编制的，充分考虑了将要审核的部门的特点。

7)审核组成员汇总讨论

由于内部审核是一项整体性的活动，所以在准备阶段也要进行周密的策划和管理。在完成以上工作之后，有必要由审核组长召集全体审核组成员，对审核准备工作加以汇总讨论，并在此基础上最终确定人员分工及具体的审核日程计划。

8)编制审核日程表

内部审核的时间安排由检测机构自己掌握，并且通常会在每年的总体计划中将例行的内部审核安排进去。但对于每一次具体的内部审核活动，还应更加有针对性地设计日程安排。在内部审核日程安排中，要按照各职能部门或要素的重要程度妥善安排现场审核的时间，并在总体安排中表明审核目的、范围、依据、审核组分工及整个审核活动的主要内容。

9)分发审核日程表

内部审核日程表编制完成并经检测机构主任批准后，应及时分发至各被审核部门、内部审核组成员和检测机构管理者。一般情况下，具体的审核日程应在现场审核开始前几天分发完成。

10)准备随身携带的资料

没有适当的资料就无法进行工作。对于内部审核而言，内审员在进入现场时一般应随身携带审核日程表和检查表、相关的质量管理体系文件和标准、审核记录本以及形成规范化内部审核记录用的各种空白表格(如不符合项报告、签到表等)。

11.2.6.3 内部审核的实施

对于内部审核而言，由于其主要目的是检查质量体系运行过程中存在的问题，进而分析原因、提出纠正措施，最终改进和不断完善质量体系，所以审核实施过程主要是针对现场审核中介绍审核要求(首次会议)、收集客观证据、整理不符合项报告、形成内部审核报告、末次会议几个方面展开的。

1)首次会议

内部审核成败的关键在于检测机构人员对这项活动的认识、理解和配合、支持程度。实施现场审核的第一项工作就是召开首次会议，利用会议的形式再次重申审核要求，以使审核组与被审核部门建立一种相互信任、友好、和谐的协作关系，使审核组和被审核部门都理解，审核是双方的事情，需要双方共同努力和配合才能完成。首次会议可以包括以下几项内容。

(1)介绍审核组成员及其在审核中担负的职责。

(2)介绍内部审核的重要性。

(3)介绍内部审核所采用的程序和方法。

(4)重申内部审核的目的、范围和依据。

(5)介绍对审核中可能发现的不符合项的处理办法。

(6)明确各被审核部门的审核陪同人员。

(7)征求被审核部门对内部审核工作的意见。

(8)确定末次会议的时间和参加人员。

首次会议注意事项如下。

(1)内审组长负责主持会议,要表示出对内部审核的重视,尽量使用复数第一人称“我们”，避免引起误解或造成对立情绪。

(2)在介绍审核所采用的方法时,要说明审核是采用抽样调查的方法,抽样是随机的、有代表性的，但有其局限性，内部审核重在对整个体系的检查，对事不对人，与通常的工作管理考核检查等不同，所以各被考核部门不要攀比不符合项数量的多少。

(3)要说明不符合项在甲部门发现，不一定代表甲部门就是责任部门，可能真正的原因在乙部门。所以，不要害怕发现问题，关键是要找出产生问题的真正原因，共同寻找解决问题的措施。

(4)要避免冗长的发言，控制会议时间，首次会议的时间一般不要超过半小时。

2)现场审核

首次会议结束以后，就可转入现场审核(收集客观证据)，现场审核是一种正规的抽样调查活动，这个阶段是内审员通过问、听、看、查收集客观证据的过程，也是整个审核过程最重要的阶段，必须认真细致做好。

(1)内部现场审核应掌握的原则。

现场审核时内审员一般应坚持以下原则，以确保审核的成功。

①坚持以客观证据为依据的原则。客观证据必须以事实为基础，有记录、经确认、可验证、不含有任何个人推理或猜想的成分，且客观证据必须是有效的，真实反映当前质量体系运行的状态和结果。审核中，没有客观证据，客观证据不足或未经验证的任何信息均不能作为不合格判断的依据。

②坚持实际与标准核对的原则。审核不能脱离审核依据，内审员对现场审核中发现的客观证据，应与审核依据进行比较核对后才能得出合格与否的结论，凡实际与标准未核对的，都不能判断为合格或不合格。这里的实际应包括有没有、做没做、做得怎样三个方面。

③坚持独立、公正的原则。现场审核内审员必须坚持独立、公正的原则，才能确保审核的有效。独立、公正的原则体现在：一方面内审员应独立于被审核部门，另一方面内审员审核判断时，应排除其他影响独立、公正的干扰因素，不能因情面或畏惧等不良影响而私自消化缺陷项甚至不合格项。

④坚持“三要三不要”的原则。要讲客观证据，不要凭感情、感觉、印象等下结论；要通过有没有、做没做、追溯到实际做得怎样，不要停留在文件上和口头上；要按审核计划如期进行，不要“不查出问题非好汉”，即当审核未发现问题时，应及时转到下一个审核项目上。

(2)现场审核的方法。

内部审核是一种正规的抽样调查活动，最重要的工作就是以公正的态度去发现事实，寻找客观证据。在审核中采用正确的方法收集信息，是内审员了解事实真相的关键所在。对于内部审核收集信息的渠道和方法，根据检测机构的具体情况和内审员的工作习惯，可以灵活选择多种方式，下面简单介绍 4 种。

①提问和谈话。内容要围绕所审核的主题，一般用“5W1H”，即什么(What)、谁(Who)、何时(When)、何地(Where)、为何(Why)、怎样做(How)来提问。尽量使每一个问题的回答能提供更多的信息。提问和谈话是为了了解和确认事实的真相，不要过分强人所难，要注意选择谈话的对象，最好是工作的直接承担者，避免让其上司回答。谈话要创造良好的气氛，同时还要注意倾听，尊重别人，为做出公正的判断，在提问之后必须查看有关证据(记录)。

②查阅文件及记录。除了受审核者的回答之外，审核要抽查足够数量的证据来证实相关的活动是否按照规定进行，质量体系的各种相关资料和质量体系运行过程中所形成的各种记录，都是审核的检查对象。文件资料是开展工作的依据，记录是工作有无进行以及结果如何的证据。其中任何不一致或错误的地方，都可能导致质量体系运行中的问题。所以，在查阅文件和记录时，要尽量细心，对每个标题、每个栏目甚至每个数字都应仔细阅读、核对，切不可大致翻阅浏览一下就草草了事。

③观察实验室现场。内审员的工作不应只停留在文字性的表面检查上，因为许多文字性的东西不一定能全面而真实地反映质量体系运行的实际情况。为了有效验证质量体系实施效果，内审员必须注重现场审核，在实验室现场及检测工作进行过程中进行深入细致的观察，常常可以发现一些不符合规定要求的事实。

④对已完成的工作进行验证。质量体系运行的最终结果，可以很有说服力地证明质量体系的有效性和适合性。在深入实验室工作现场进行考核的过程中，可以对以前检测过的样品进行抽样做重复验证，以确认结果的可信度；同时，还可以在实验室人员进行操作时，观察其操作是否严格按照文件或标准要求进行，以及操作的熟练程度等。

收集客观证据应采用随机抽样的方法进行，抽样的原则要公正、有代表性，能真实地反映出被审核部门质量体系运行的实际情况。至于从哪些环节、哪些活动中抽取样本，在审核准备阶段就应该考虑，现场审核要注意的是具体抽取什么样本(如人员、设备、记录、文件、报告等)和样本数量的问题。抽样时应注意以下几点一般规则：按检查表的顺序随机抽样；根据谈话或现场观察获取的信息，进行定向抽样；抽样的范围应覆盖当次审核所规定的全部质量体系要求；发现问题应进一步扩大抽样，以查明是普遍的还是孤立的；未发现问题就应该认为该区域符合要求，而继续其他审核。

(3)现场审核过程的几种控制。

为确保现场审核的有效、成功，审核组长需要做好现场审核的控制工作。

①控制审核进度。按审核实施计划开展工作，不能拖延时间。

②控制审核气氛。被审核者可能会有对抗情绪或紧张，内审员应注意缓和，使审核在宽松和谐的气氛中进行。

③保持证据的客观性。对听到和看到的问题，内审员应做出及时的记录，对问题的答案有怀疑时，应扩大抽样的范围，记录应具体，保证可追溯性。

④控制好工作纪律。审核工作是一项复杂紧张的工作，工作强度较大，没有好的工作热情和责任心是很难做好工作的，工作内容、工作时间是工作纪律的两个重要体现。

⑤审核结果的给出要经过慎重讨论。内审员不要过早地提出审核结论，应在全部审核结束，取得足够证据后，而不是先入为主，以点概面。审核应经过全体审核组成员的讨论，在取得共识的基础上给出结论。

(4)现场审核记录的作用和要求。

现场审核中，内审员在听、查、看、问、考以及验证时，应对真实有用的信息做好记录。

审核记录的作用包括：①作为开具不合格项报告和编制审核报告的证据；②作为备忘、核实的依据；③作为查阅、追溯的参考。

审核记录的要求包括：①记录应清楚、全面、易懂，便于查阅、追溯。②记录应规范，使用钢笔或签字笔，以便保存。③记录应及时，不能事后回忆或追记。④记录应准确、具体，如对不合格仪器设备的记录，应记清设备的名称、编号、地点、不合格事实、陪同人员，必要时应经陪同人员签字证明。

内部审核的记录应清晰、完整、准确、真实、客观，它既是一次内部审核活动的记载，也是管理评审活动的重要输入之一，同时也可作为下一次内部审核活动的参考。如果在下一次审核时发现前次审核的不合格工作仍然存在，可能就需要对内部审核工作、不合格工作控制、纠正措施及其跟踪审核等的有效性进行详细评价和检查。

3)编制不符合项报告

不符合项报告是检测机构内部审核报告的重要组成部分，不符合项报告的编制及其中不符合事实的描述，在一定程度上反映了检测机构内部审核的质量和内审员的审核水平，根据不符合项报告制定的相应纠正措施关系到检测机构能否从根本上纠正所发现的问题，预防类似问题的再次发生，并真正发挥检测机构内部质量体系审核的效果和作用。

对审核中发现的问题，应以不符合项报告的方式形成正规的书面记录，并在此基础上做出内部审核的结论，开具不符合项报告。所以，整理不符合项报告是内审员十分重要的一项工作，如何判断、分析并书写不符合项报告，是内审员必须掌握的基本功之一。

(1)不符合项。

不符合项就是构成不符合的事项(客观事实)。不符合项的特征是：违反规定的要求并且存在对质量不利的状况。违反规定的要求，是指违反质量体系文件(质量手册、程序、作业指导书)，以及有关标准、法规和《评审准则》的要求，或者是违反结果性的要求(虽然未违反有关程序等，但对结果有影响)；存在对质量不利的状况是指已经造成或将要造成不良后果的情况。

(2)不符合项的分类。

质量体系审核中，不符合项分类一般按严重程度、分布情况和性质三种情况考虑。

①按严重程度分为严重不符合项和一般不符合项。严重不符合项是指与质量体系要求严重不符合或可导致质量体系失效，或会产生严重后果，或同一要素中违反质量体系要求的一般不符合项数量太多。一般不符合项则是指与质量体系标准要求轻微不符合或违反质量体系要求的孤立的事件。

判断严重与否主要看两点：一是这个问题发展下去会产生什么后果，二是出现这种后果的可能性大小。

②按分布情况可以知道对照质量体系某一要素有多少不符合项，对照某一部门有多少不符合项，以便确定管理上的薄弱环节。

③按性质可分为质量体系不符合、实施不符合和有效性不符合。质量体系不符合主要是指体系文件规定不妥当、资料配备不充分、机构划分不合理等问题。实施不符合则是指规定的要求没有遵循，实际工作与规定不符的现象。有效性不符合是指最终的效果不佳。所以，按性质区分可以帮助被审核部门或实验室从总体上有针对性地制定纠正措施。

(3)不符合项报告。

不符合项报告应简单明了，只陈述客观事实和有关规定内容，不进行分析、评判。在内容上应包括人物、地点、事实、依据的必要细节等，以便于受审核部门理解和采取纠正措施。概括起来，对不符合项报告的要求有：①写明“5W1H”；②写明违反规定的内容或产生的不良后果；③便于理解、阅读；④要对被审核部门有帮助；⑤要注明对应的文件或标准条款号；⑥要有被审核部门人员的签名以示了解。

不符合项报告的内容一般应包括审核依据、不符合事实描述、纠正措施内容、纠正措施要求、纠正措施完成情况及验证结论、受审核部门及负责人姓名、内审员姓名等。不符合项报告形式见表 11-4、表 11-5。

表 11-4　×××××水环境监测中心内部审核不符合项记录表

不符合编号	不符合内容	条款

内审员：　　　　　　　　　　　　　　　　　　年　　月　　日

表 11-5 ×××××水环境监测中心内部审核不符合项报告表

<table>
<tr><td colspan="2">被审核部门：</td><td colspan="2">部门负责人：</td></tr>
<tr><td colspan="4">不符合事实描述：</td></tr>
<tr><td>内审员：</td><td>年 月 日</td><td>受审核方负责人：</td><td>年 月 日</td></tr>
<tr><td colspan="4">纠正措施：</td></tr>
<tr><td>部门负责人：</td><td>年 月 日</td><td>内审员签字：</td><td>年 月 日</td></tr>
<tr><td colspan="4">纠正措施完成情况：</td></tr>
<tr><td colspan="3">部门负责人：</td><td>年 月 日</td></tr>
<tr><td colspan="4">纠正措施完成验证：</td></tr>
<tr><td colspan="3">内审员签字：</td><td>年 月 日</td></tr>
</table>

4)形成内部质量体系审核报告

现场审核应按原定计划进行，审核过程中所发现的问题要及时记录，每位内审员都应及时整理、书写不符合项报告。此外，审核过程中还必须包括每日结束现场审核之后的小结会和完成所有审核任务之后的审核组内部会，并要形成正式的内部审核报告。

一次全面的内部质量体系审核需要几天的时间才能完成，每天的审核工作完成后，审核组成员应与当天审核所涉及的部门代表共同召开一个小结会，在全部审核工作完成后，审核组长要召开审核组内部会议，主要内容有以下 3 项。

(1)审核不符合项报告。在形成审核结论之前，对所有不符合项报告再做一次细致的审核是十分必要的。此类审核的主要目的是确定作为证据的事实和作为依据的规定是否确切、是否包括了所有必要的细节、判定为不符合项的理由是否充分以及有无同一事实被多次提及等，对缺少必要细节的，要予以补充；证据不确切或判定为不符合项理由不充分的要删除；同一事实被多次提及的，要找出最能反映本质问题的来写。

(2)形成审核结论。在对所有不符合项进行分类统计后，要找出存在问题较多或较严重的环节，并结合整个审核过程中的情况，得出审核结论。作为内部质量体系审核，发现问题并不可怕，并且通常是在建立质量体系的初期，发现的问题会更多，关键是要看相关部门对发现问题的重视程度和分析原因、采取对策纠正并防止同类问题再次发生的效果。

(3)形成正式的内部审核报告。在审核组内部会议上，组长要主持准备内部审核报告，该报告通常都有规定的格式，可以在末次会议上使用，有时也可以在末次会议后整理完成。内部审核报告是水环境监测机构质量体系运行和自我约束、自我完善的重要见证材料，同时也可作为其他工作的参考信息，必须形成正式的报告，并经水环境监测机构负责人审阅后存档、下发。

内部审核报告一般应包含以下内容：①报告编号；②审核的目的、范围和依据；③审核日期和方法；④审核组成员名单，包括姓名、部门、职务等；⑤审核结果，包括不符合项数量及评价等；⑥审核结论，主要对受审核部门的质量体系符合性、有效性、适合性做出评价；⑦审核组长签名及受审核部门负责人确认标识；⑧审核报告附件，如内部审核计划、检查表、不符合项报告、首次会议和末次会议签到表等；⑨审核报告分发范围清单。

(4)内部审核报告编制和分发。

内部审核报告一般应由审核组长亲自书写，若指定其他内审员代为书写或打印，组长也应加以审校，对报告的准确性和完整性负责。审核报告的叙述应清楚、确切、如实地反映审核工作的做法和结果，结论要客观、公正。

由审核组长编写好的内部审核报告，经质量主管或最高管理者审批同意后，发放到受审核部门，并适时输入管理评审。

内部审核报告形式见表 11-6。

表 11-6　×××××水环境监测中心内部审核报告

审核报告编号：　　　　　　　　　　　　　　　　第　　页　共　　页

审核报告编号：	
受审核单位名称：	
受审核方负责人：	
审核开始时间：	
审核结束时间：	
审核地址：	
审核人员：	
审核组长签字：	受审核方签字：
日期：	

续表 11-6

审核报告编号：　　　　　　　　　　　　　　　　　　　　　　　第　页　共　页

1．审核目的：
2．审核范围：
3．审核依据：
4．受审核单位的主要负责人：
5．审核总结和要求： (1)本次审核是抽样的，所以有些不合格并未查出。 (2)本次审核中发现的不合格见第　页到第　页，对不合格的统计见第　页的不合格统计表。 (3)被审核单位在　天内，向质控室提出纠正措施的计划。 (4)对纠正措施的计划和实施安排，质控室将在　天内给予书面的回答。 (5)本次审核总结。 ①值得肯定的方面 ②不符合项情况 ③改进的方向和建议

5)末次会议

末次会议召开的时机，是在审核计划规定的工作全部完成，所有不符合项事实已得到确认，整理并完成了内部审核报告，整个质量体系审核结束时进行的。在审核计划中安排的末次会议，主要目的是向检测机构管理者和受审核部门正式报告审核中所发现的问题和形成的审核结论。末次会议有助于加深全体检测机构人员对内部审核的理解和认识，全面了解实验室质量体系运行的现状，不断改进和完善质量体系。

末次会议应由审核组长主持，可按如下顺序进行。

(1)参加会议的人员签到。

(2)审核组向受审核方在审核中的配合表示感谢，感谢检测机构管理者和各被审核部门的支持与合作：内部审核是一项综合性工作，若没有管理者的支持和各相关部门的配合，审核工作将难以完成。

(3)重申审核目的、范围、依据和方法，增加全体人员对审核工作的理解。尤其要说明审核采用的是抽样调查活动，对发现的问题要举一反三，没有发现的问题仍然有可能存在，问题的多少与存在问题部门的工作成绩没有直接的对应关系。这样，可以消除部分人员对审核的紧张感。

(4)肯定各部门工作的优点和成绩。

(5)报告不符合项，不符合项报告在末次会议前已经准备好，此时只需逐项宣读。这里要求读出不符合项的原因，一方面可以使大家能够准确地听取问题的细节和原因，节省时间，另一方面可以防止某些内审员在报告不符合项时使用一些容易引起误解或反感的词语，如“我想是”、“我认为”、“应该是”等，这些词都带有主观色彩和推测口气，应避免使用。

(6)审核总结和审核结论。审核组长负责对审核工作进行总结，指出本次审核涉及的部门／要素、发现的不符合项、分布情况等，并在此基础上概括出质量体系运行过程中的符合程度、实施效果，强调重点应予解决的问题和应予加强的环节。

(7)征求各部门的意见。审核组长应给被审核部门机会，让其对不符合项报告、审核总结和审核结论提出意见。审核组成员要有针对性地给予解释和说明，可能时提出对纠正措施的要求和建议。对于较为重大的问题，为控制会议时间，可以约定在末次会议后由相关部门进行专题分析。

(8)请检测机构管理者讲话。在末次会议的最后，请检测机构管理者讲话，肯定内部审核的作用，正视发现的问题，提出对于整改的要求，可以强化和巩固内部审核效果。同时，管理者也应给存在问题较多的部门或人员鼓舞士气，说明领导的重视与支持，并要表示相信大家有能力、有办法彻底解决存在的问题，使检测机构的质量体系更加完善，更加成熟。

11.2.7 内部质量体系审核的管理

内部质量体系审核过程中以及整个审核活动结束之后，都存在着一个管理问题。作为内审员，要了解并体现内部质量体系审核的基本原则，并对内部审核所发现不符合项的纠正措施落实情况予以跟踪确认。整个审核活动由审核组长负责管理，内部质量体系审核的结果作为输入提交管理评审。

内部审核后续管理的重要内容之一，就是针对审核过程中所发现的不符合项，提出纠正措施并跟踪确认其实施效果。

纠正措施是为消除已发现不合格原因或其他不期望的原因所采取的措施，纠正措施不是对发现的问题或不合格工作的消除，而是对其产生原因的消除。不是“头痛医头，脚痛医脚”，而是全面检查，对症下药，增强免疫力。采取纠正措施的过程实际上就是一个质量改进的过程，要认识清楚，措施得力，发现并解决问题，带动整体质量水平的提升。

审核组应对内部审核中发现的不符合项的纠正措施实施情况及其最终效果进行跟踪，直到确认问题得到彻底有效的解决为止。这个过程可称为跟踪审核，从这个意义上讲，跟踪确认要在下一次内部审核时再进行一次，以确定同类问题是否再次发生过。若所有的问题都已经得到解决，最终效果已经符合要求，实现审核的闭环管理，推动持续质量改进，严格地讲，一次完整的内部审核才算真正结束。

11.3 质量体系管理评审

管理评审是指为了确保质量管理体系运行的适宜性、充分性、有效性和高效率，达到规定的目标所进行的活动。由最高管理层就质量方针和质量目标，对质量体系的现状和适应性进行正式的评价。管理评审是质量体系运行中的关键环节，其目的是通过管理评审对质量体系进行全面、系统的检查和评价，确保检测机构的方针、目标得以实现，并保持质量体系整体的有效性、充分性及环境变化后的适应性，推动质量体系向更高层次发展，提高检测机构的市场竞争能力。

11.3.1 管理评审的要求

(1)确保质量体系持续的适宜性。由于检测机构所处客观环境的不断变化，要求检测机构的质量体系也要不断变更以达到持续地与客观环境变化要求相适应。这种适宜性既来自于检测机构外部环境变化的要求，也来自于检测机构管理者为树立检测机构的良好形象，达到自身的要求及内部过程、资源等变化的要求。检测机构及时调整原有的为实现方针和目标而构成的一组相互关联和相互作用的质量体系过程。

(2)确保质量体系持续的充分性。不论是由于外界环境变化引起的，还是检测机构自身制定的方针、目标引起的，检测机构总会发现各种持续改进的需求。持续改进活动不但要在内容上达到策划的结果，还要考虑达到同样结果所使用的资源。持续改进活动将涉及对检测实现过程或体系现状的评价和分析、改进目标的建立、纠正和预防措施的提出或新过程的识别等。为实现各种持续改进的需要，对原有质量体系可能就存在诸多的未考虑的活动，也就是原有的质量体系在过程方面可能存在不充分的情况，而管理评审就是要发现质量体系中存在的这种不充分性，并使之得到改进。

(3)确保质量体系持续的有效性。质量体系的有效性是指通过完成质量体系所需的过程，而达到质量方针和质量目标的程度。为判定检测机构的质量体系是否达到预定的目标，必须把顾客反馈、过程绩效、报告质量的符合性等作为评审的输入，并与规定的方针和目标进行比较，以判定质量体系的有效性。

11.3.2 管理评审与质量体系审核的区别

管理评审与质量体系审核的区别在于目的不同、依据不同、层次不同、工作形式不同、组织者不同、工作地点不同、执行者不同和结果不同等。

(1)目的不同。质量体系审核确定质量活动及其结果的符合性和有效性；管理评审就质量方针和目标对质量管理体系的适宜性、充分性、有效性和效率进行规律系统的评价。

(2)依据不同。质量体系审核的依据是质量体系标准和质量体系文件；管理评审的依据是受益者的需要和期望，通常在质量体系审核的基础上进行。

(3)层次不同。质量体系审核控制活动及其结果符合方针、目标要求，属战术性控制；管理评审控制方针、目标本身的正确性，属战略性控制。

(4)工作形式不同。质量体系审核是现场检查考核和资料评审；管理评审是以会议的方式进行。

(5)组织者不同。质量体系审核由质量主管主持；管理评审由最高管理者主持。

(6)工作地点不同。质量体系审核是在实验室工作现场完成；管理评审可在会议室或办公室内进行。

(7)执行者不同。质量体系审核由与被审核领域无直接责任的人员参加；管理评审由最高管理者亲自组织有关人员进行。

(8)结果不同。质量体系审核后的结果通常是内部审核报告，要求对不符合项报告采取纠正措施，使质量体系更有效地运行；管理评审的结果通常是管理评审报告，要求改进质量体系或修订体系文件，提高质量管理水平和质量保证能力。

11.3.3 管理评审依据及内容

11.3.3.1 管理评审依据

管理评审的依据主要是检测机构质量体系内部审核的结果、法律法规及其他要求的变化、相关方的要求、检测机构检测的状况、持续质量改进的承诺等。

11.3.3.2 管理评审内容

(1)分析质量体系的符合性。对内部质量体系审核结果的分析，包括内部质量体系审核报告、纠正措施实施情况、内部质量体系审核的效果等。对质量体系文件的分析，包括体系文件的修改或补充是否适当，是否有重要的修改或补充内容需要批准等。

(2)分析质量体系的有效性。包括检测过程质量和检测结果质量是否得到有效的控制；质量方针是否得到有效的贯彻和实施；质量目标指标和管理方案是否如期实现和完成；员工质量意识是否提高，并按照程序文件、作业指导书的要求运作；检测机构自我完善、自我检查的监督管理机制是否建立并运行；是否对客户投诉采取了有效的纠正和预防措施等。

(3)分析质量体系的适应性。质量体系是在一种特定的内外部环境条件下建立的，而这些内外部环境总是在不断变化的，如组织机构或人员的变动，新技术、新设备、先进管理方法的引进，运行机制改变等内部环境的变化，法律法规、技术标准、检验方法尤其是《评审准则》等外部环境的变化等。对出现的新情况，原质量体系是否根据这些变化进行了补充和修改，以不断满足各方面的要求。

(4)分析质量体系的充分性。检测机构建立的质量体系是否充分满足评审准则、质量体系文件及法律法规等必须达到的要求。

(5)其他需要评审的事项。重要的纠正和预防措施是否适当，是否有其他重要的纠正和预防措施要批准，对体系文件的修改或补充是否适当，是否有重要的修改或补充内容需要批准等。

11.3.4 管理评审方式

管理评审一般采取两种方法：一是专题讨论，即将所需评审的项目和要求分成若干个专题，事先责成有关部门和人员进行专题讨论，分别写出专题报告，汇总报最高管理者审定，最后形成集中式的评审报告。这种方法专业性强，有一定深度。二是集体会议讨论法，在召开评审会前，先制定评审计划，列出所有需要评审的议题，事先发给相关部门和人员做好准备，然后通过评审会议广泛讨论，集思广义，将讨论、分析、评价和确认的结果形成评审报告。这种方法涉及面广，较常采用，但有时意见较难集中，最高管理者必须做出权威性决断。

11.3.5 管理评审中的注意事项

(1)管理评审是检测机构管理层的重要职责，最高管理层人员都应参加，并且就各自分管的职能活动中的重大问题写出报告，共同协商解决。

(2)管理评审应包括但不限于以下内容：①组织结构的适应性，包括人员或其他资源的适应性。②与《评审准则》的符合性，以及质量体系实施的有效性。③与质量方针的一致性。④以客户反馈、内部反馈(如内部质量体系审核的结果)、工作特性、结果质量以及采取的纠正措施和预防措施为基础的信息。

(3)应认真执行管理评审计划，定期进行评审，以保证质量体系的持续适用性和有效性。

(4)管理评审过程、评审频次和输入取决于每一个检测机构的具体情况，要求管理评审的周期最大为12个月。

(5)管理层应在管理评审中特别注意对经常出现问题的区域重点考虑。所以，管理评审必然是在大量数据统计分析的基础上才能进行，可与预防措施的采用相互衔接。

(6)管理评审的依据是受益者的需要和期望，包括市场和客户需求、有关法规和标准的要求、检测机构领导和全体人员的期望。

(7)管理评审可能会导致对质量体系较为重大的调整和改进，这些要求和措施应及时执行，任何更改的有效性都应加以评价。

(8)管理评审应形成结论，以记录的形式妥善加以保存。

11.3.6 管理评审实施步骤

11.3.6.1 管理评审计划

管理评审计划由检测机构最高管理者组织制定，明确本次管理评审讨论的重点内容。计划中应明确评审所需要准备的资料和资料的提供部门，经最高管理者批准后于管理评审前一个月下达至各相关部门及负责人员，以做好管理评审前的准备工作。

管理评审计划一般应包括如下几点。

(1)评审目的。管理评审通常是为了对质量体系达到现行质量目标的适宜性做出评价，对质量体系与实验室内、外在变化的适应性做出评价，修改质量体系文件，使质量体系更有效地运行。明确管理评审的目的，使管理评审工作更有实效。

(2)评审组成员。以检测机构的执行管理层为主，检测机构各部门的管理人员和审核人员等组成评审组。

(3)评审时间。确定具体评审时间，发布通知，以便各有关部门做好评审的准备工作，管理评审一般在质量体系审核以后进行。

11.3.6.2 管理评审组织准备

在管理评审计划发放后，检测机构办公室或指定部门对拟评审的内容进行实际情况的调查了解，做到有的放矢，并请相关责任部门准备专题文件书面资料。如果可能，也可先将设计评审内容的有关资料分发给参加评审的人员，以便有充分的时间准备意见。

11.3.6.3 管理评审的实施

管理评审会议由最高管理者主持，各部门负责人和有关人员参加会议。对评审内容，可以通过集体讨论或专题研讨的评审方法，达到评审目的和要求；也可以将评审的项目和要求列成表格，并按评审标准逐一评价；还可以采取借阅与评审有关的质量体系文件和记录，深入现场对必要的过程、结果和活动的质量进行核查等方式来评审。

管理评审会议应依据提供的报告和各方面的信息资料，紧紧围绕质量体系的运行展开讨论。从方针的贯彻落实情况、目标指标和管理方案的实现情况、文件化的质量体系运行情况，对质量体系运行进行有效性分析；从质量体系文件审核、内审和外审发现的不符合项，查找质量体系运行的薄弱环节和需要改进之处，评价质量体系的符合性；从组织面临的新形式、新情况、新问题，分析质量体系的持续有效性。各部门负责人充分讨论后，在统一认识的基础上，形成决议，做出改进质量体系的决策，形成文件予以传达。

管理评审具体议程如下：

(1)会议开始，最高管理者主持管理评审会议。

(2)质量主管汇报前一阶段质量体系运行和检测工作情况。

(3)按评审计划安排，各相关部门按评审计划要求进行专项或书面报告。

(4)会议针对(2)、(3)两项进行讨论、分析。

(5)由最高管理者对质量体系现状的适宜性、充分性和有效性做出结论。

(6)总结需要解决的问题和采取的纠正预防措施。

(7)由质量主管或指定专人负责编制管理评审报告。

(8)检测机构办公室负责管理评审会议的记录，资料整理归档。

11.3.6.4 编制管理评审报告

管理评审报告一般由质量主管根据评审记录编写，也可以由检测机构指定的专人编写。评审报告由最高管理者批准后公布并发至有关部门。管理评审报告、资料和记录要适时归档，妥善保管。管理评审报告内容一般包括：

(1)评审概况，包括进行本次管理评审的目的、内容、评审人员、评审日期等。

(2)对质量体系运行情况及效果的综合评价。

(3)针对检测机构面临的新形势、新问题、新情况，质量体系存在的问题及原因。

(4)关于采取纠正措施或预防措施的决定及要求。

(5)管理评审的结论，管理评审一般应对以下 3 个问题做出综合性评价结论：①质量体系各要素的审核结果。②质量体系达到质量目标的整体效果。③对质量体系随着新技术、质量概念、社会要求或环境条件的变化而进行修改的建议。

11.3.6.5 管理评审输入

管理评审输入是为管理评审提供充分和准确的信息，是管理评审有效实施的前提条件。为了能准确地评价质量体系的适宜性、充分性和有效性，管理评审前检测机构应对以下信息进行收集整理，作为管理评审的输入。

(1)内外部质量体系审核结果的分析。

(2)质量方针的贯彻情况及质量目标的实现情况。

(3)现有体系文件的分析(适宜性、有效性、协调性)。

(4)检测机构的发展战略及发展规划的要求。

(5)检测报告的质量分析。

(6)实验室间比对和能力验证结果的分析。

(7)统计技术应用效果的分析。

(8)业务范围及工作量的变化趋势。

(9)内外部环境和客户需求的变化。

(10)服务质量分析(客户反馈、抱怨和投诉、事故分析)。

(11)纠正措施、预防措施效果分析。

(12)标准、规程的更新，检测技术的发展。

(13)人员素质及培训情况。

(14)管理人员、监督人员的报告及信息反馈。

(15)上次评审的决定及改进措施的执行情况分析。

11.3.6.6 管理评审输出

作为一个过程，管理评审的输出应包括：

(1)质量体系及其过程有效性的改进方面的决定和措施。

依据管理评审输入的信息，通过开展评审活动，评价质量体系的适宜性、充分性和有效性，其输出将导致对检测机构现有的质量体系及过程的有效性提出改进的要求，检测机构可提出有关上述改进的决定和措施。

(2)与客户要求有关的检测报告质量的改进决定和措施。

包括客户明确的要求(应达到的技术指标、质量要求、完成时间等的要求)，隐含的要求(数据是真实、可靠的，保护客户的机密等)，也包括法律、法规的要求。管理评审可能导致与上述三项要求有关的报告的改进，检测机构应针对这一改进制定措施或做出有关的规定。

(3)资源需求的决定和措施。

检测机构应针对内外部环境的变化，考虑自身资源的适宜性，以及改进所引起的资源需求，不但要考虑当前的资源需求，还可考虑未来的资源需求。

11.3.6.7 管理评审后的工作

管理评审工作结束后，各有关部门应按管理评审报告中提出的改进计划、纠正和预防措施要求制定相应的落实措施，进行质量改进，并按纠正和预防措施控制程序具体实施，同时在适当的时机，还应做好管理评审后改进措施的检查、督促和验证工作，跟踪验证确认实施效果，做好验证确认的记录，并归档保存。

11.4　内部审核与管理评审的区别

内部审核和管理评审虽然都是对质量管理体系做出评价，但有许多不同之处，内部审核与管理评审的区别在于目的不同、依据不同、组织者不同、执行者不同、工作方式和内容不同、结果不同等，见表 11-7。

表 11-7　管理评审与内部审核的区别

项目	管理评审	内部审核
目的	评价整体质量管理体系的适宜性、有效性和效率，寻求改进的机会，确定改进的措施	验证质量管理体系运行的充分性、符合性、有效性
依据	·相关方的期望和要求 ·法律、法规 ·方针、目标 ·科技、环境等的发展状况	《评审准则》和质量管理体系文件、标准、法律法规及其他要求等
组织者	最高管理者主持	质量主管主持
内容	·内外部审核结果 ·纠正和预防措施的结果 ·组织环境变化情况 ·顾客、社会及内部期望和要求 ·相关方的抱怨 ·达到方针、目标的适应性 ·体系在体系变化后的适宜性	各项质量管理体系要求执行的充分性、符合性、有效性
执行者	最高管理者亲自组织，各层次管理人员参加，可邀请必要的人员	与受审核领域无直接责任的内审员
工作方式	一般不在工作现场，采取研讨、会议形式进行	一般在管理活动现场，进行检查考核和资料评审
联系	包含对内部审核的评定	内部审核的结果是管理评审的主要输入
结果	管理评审报告：要求改进质量体系或修订体系文件，提高质量管理水平和质量保证能力	内部审核报告：要求对不符合项报告采取纠正措施，使质量体系更有效地运行

第二篇

质 量 手 册

××××××水环境监测中心质量体系文件

质　量　手　册

(第 3 版)

编 制 人：

校 核 人：

审 核 人：

批 准 人：

××××××水环境监测中心质量体系文件

质　量　手　册

手册控制状态：受　控　□　　非受控　□

手册持有者姓名：

持有者接收日期：　　　年　　月　　日

分　　发　　号：

××××年××月

质　量　手　册

手册版号：

生效日期：

总 页 数：

批 准 人：

批准日期：

副本控制：

发放号码：

持 有 人：

×××[200×]×××号

关于颁布×××××水环境监测中心《质量手册》(第3版)的通知

水环境监测中心各部门：

《质量手册》(第3版)是在《质量管理手册》(第2版)的基础上，按照GB/T15481—2000《检测和校准实验室能力的通用要求》、国家质量技术监督局《产品质量检验机构计量认证/审查认可(验收)评审准则》(试行)的要求编写而成，它是阐述本中心质量方针和目标、描述质量体系相关要素及它们之间关系的纲领性文件，是规范本中心质量活动的法规和准则。《质量手册》(第3版)是本中心向客户提供满足规定要求检测数据和服务的保证性文件。此外，也用做第三方对本中心质量体系进行认证/审查认可评审的依据。

《质量手册》(第3版)是全体人员从事质量和技术活动所遵循的准则，现予以颁布，自××××年××月××日起正式实施。原《质量管理手册》(第2版)同时废止。

××××年××月××日

×××[200×]×××号

关于保证×××××水环境监测中心第三方公正地位的通知

××各单位、××各部门：

×××××水环境监测中心于××××年经国家技术监督局计量认证，成为国家级计量认证合格单位，该单位出具的检测数据具有法律效力。

根据国家质量技术监督局2000年10月发布的《产品质量检验机构计量认证／审查认可(验收)评审准则》(试行)的规定，监测中心将按照新的评审准则要求开展质量活动，同意监测中心的“关于监测工作公正性声明”，××××××所属各部门或个人均不得干预监测中心正常的质量体系运行，以确保检测机构的相对独立性、权威性和第三方公正地位。

××××年××月××日

关于检测工作公正性声明

根据国家质量技术监督局2000年10月发布的《产品质量检验机构计量认证／审查认可(验收)评审准则》(试行)的规定，为保证×××××水环境监测中心检测工作的公正性、科学性，维护检测机构的权威性和第三方公正地位，特作如下声明：

1．本监测中心符合水环境监测机构计量认证、审查验收考核要求，符合评审机构规定的各项准则；严格遵守和执行国家法律法规，严格按本中心质量手册、程序文件依法独立开展水环境监测工作。

2．本监测中心独立开展水环境监测业务工作，检测工作不受任何关系、商务及其他利益(包括经济利益)和外来压力的影响，不受行政干预，确保第三方的公正地位。

3．监测中心对客户提供平等、热情、周到的服务，尊重客户的合法权益。对客户的技术文件、资料和检测数据保密，未经客户同意，不得将检测结果提供给第三方，不得将客户的技术资料用于技术开发及咨询活动。

4．本监测中心依据《产品质量检验机构计量认证／审查认可(验收)评审准则》(试行)和《水利质量检测机构计量认证评审准则》(SL309—2004)建立了质量保证体系，并保证按质量体系运行，以确保检测结果的科学性、准确性。

5．本监测中心全体人员严格遵守相关法律和法规，严格按照国家或行业标准开展检测工作，执行检定规程。

6．决不参与任何有损本监测中心独立性和检测诚信度的活动。

7．本中心积极参与国内外实验室的水平测试和比对实验，并与这些中心保持良好的接触和沟通，以不断提高测试水平和能力。

以上声明，从本中心《质量手册》(第3版)发布之日起生效，愿接受上级、客户及其他有关方面的检查和监督。

×××××水环境监测中心
主 任 (签名)
××××年××月××日

手册修改页

修订序号	对应的章、节、条号	修订内容	批准人	批准日期

第1章 前 言

1.1 概 述

×××××水环境监测中心于××××年××月经××号文批准成立，隶属于×××水资源保护局，属处(县)级独立法人资格的公益性事业单位。××××年××月通过国家计量认证考核获得国家计量认证合格证书，××××年××月通过国家计量认证复查换证。

监测中心设有综合室、业务管理室、实验室和仪器室。自成立以来，紧紧围绕×××水资源保护及水环境监测中出现的重大技术问题，进行了一系列科学试验研究工作，曾承担国家科技攻关项目、中美国际合作项目、国际先进技术引进项目及部、委、局科研项目××余项，并获得省(部)级科技进步奖××项。近几年来，在行业标准制、修订、监测技术前期研究及计量监督管理方面也取得了多项成果。特别是在取得“国家计量认证合格证书”后，不断改善检测环境和更新设备，硬件环境和检测能力有了明显的提高。目前，本中心实验室总面积××××m^2，其中恒温面积×××m^2。中心拥有气相色谱仪、液相色谱仪、离子色谱仪、原子吸收分光光度仪、气相色谱—质谱仪、总有机碳分析仪、自动分析仪、电子天平及常规分析仪器设备等，总计×××台(套)，总资产×××万元。可供进行地表水、地下水、大气降水、农灌用水、渔业用水、景观用水、生活饮用水(含矿泉水和纯净水)、污废水(工业废水、城市废水)、土壤和底泥(质)水文、大气、噪声等××大类××个参数的测试。

监测中心具有较雄厚的技术力量，现有人员××人，其中高级技术人员××人、中级技术人员××人，专业涉及环境保护、水质分析、分析化学、环境化学、有机化学、化学工程、仪器分析、电子技术、生物、水文、城市生态规划、计算机应用等多个学科，具有承担水资源水环境检测和评价工作及国内外委托检测、验证的业务能力。

1.2 检测工作范围

监测中心主要从事水资源质量监测管理工作，负责×××水资源质量检测评价、水质巡测与核测工作，负责×××段水质监测工作(主要监测工作内容见表 1-1)，负责水利工程建设水质监测、供水取水许可的水质监测，参与辖区内重大水污染事故和由水污染引起的水事纠纷的调查、仲裁，承担水资源论证勘测评价及第三方检测，即委托检测或仲裁检测等任务。

计量认证的检测范围为地表水、地下水、大气降水、农灌用水、渔业用水、景观用水、生活饮用水(含矿泉水和纯净水)、污废水(工业废水、城市废水)、土壤和底泥(质)水文、大气、噪声等××大类××个参数。计量认证项目参数见表1-2，检测能力分析与分包情况见表1-3。

表 1-1 监测任务实施内容一览

类型	断面	项目	频次	备注

表 1-2 申请计量认证／审查认可(验收)项目

序号	项 目 名 称	依据的标准名称、代号(含年号)	限制范围或说明

注：①将申请认证的项目按产品或参数排序，如申请项目既有产品又有参数必须分别填表。
②具备检测产品全部参数能力的(含分包)，按产品名称填写；只具备检测产品部分参数能力的，按能检测的参数名称填写。
③申请认证的项目，一般为国家、行业、地方标准，其他标准或方法应注明发布国家或发布单位。
④“限制范围”指能或不能检测的项目，选用最为简洁的方式填写；“说明”是对申请检测项目(含借用仪器设备或分包)的解释。

表 1-3 检测能力分析及分包情况一览表 第×页 共×页

序号	被检产品/参数名称	标准/规范代号	总项数	能检项数	能检项数占总项数(%)	不能检测的参数名称	接受分包单位及认证/认可证书号	分包期限及合同号	备注

1.3 通信资料及概况

监测中心通信资料及概况见表 1-4。

表 1-4 ×××××水环境监测中心通信资料及概况

<table>
<tr><td colspan="2">机构名称</td><td colspan="4">×××××水环境监测中心</td><td colspan="2">归口部门</td><td colspan="2"></td></tr>
<tr><td colspan="2">归属单位</td><td colspan="4"></td><td colspan="2">详细地址</td><td colspan="2"></td></tr>
<tr><td colspan="2">邮政编码</td><td colspan="4"></td><td colspan="2">电话／传真</td><td colspan="2"></td></tr>
<tr><td rowspan="5">领导情况</td><td>姓名</td><td>性别</td><td>年龄</td><td>职务</td><td>职称</td><td>学历</td><td>专业</td><td colspan="2">从事专业及年限</td></tr>
<tr><td></td><td></td><td></td><td></td><td></td><td></td><td></td><td></td><td></td></tr>
<tr><td></td><td></td><td></td><td></td><td></td><td></td><td></td><td></td><td></td></tr>
<tr><td></td><td></td><td></td><td></td><td></td><td></td><td></td><td></td><td></td></tr>
<tr><td></td><td></td><td></td><td></td><td></td><td></td><td></td><td></td><td></td></tr>
<tr><td colspan="3">职工总数： 人</td><td colspan="4">中级以上技术人员占 %</td><td colspan="3">初级技术人员占 %</td></tr>
<tr><td colspan="3">固定资产： 万元</td><td colspan="4">仪器设备配备率： %</td><td colspan="2">应配数：</td><td>实配数：</td></tr>
<tr><td colspan="3">总建筑面积： m^2</td><td colspan="4">温控面积： m^2</td><td colspan="3">非温控面积： m^2</td></tr>
<tr><td>主要任务</td><td colspan="9">1．贯彻执行国家和行业有关水质监测的法规、标准等。
2．承担水功能区、入河排污口、省(自治区、直辖市)界水体和饮用水源地等政府下达的指令性水质监测任务。
3．承担取水许可和水资源论证等委托检测或仲裁检测任务。
4．承担母体以及外单位有关水利水电工程建设项目的水环境监测工作。
5．承担水环境监测站网规划，水资源质量分析评价。
6．参与有关水环境监测技术标准和检测方法的制定与修订。
7．参与水污染事故应急监测与调查工作。
8．……</td></tr>
</table>

第 2 章　质量方针和质量目标

2.1　质量方针

各单位应有自身的特点，例如科学、公正、准确、满意。

本监测中心的质量方针为：以质量为中心，以程序化和文件化管理为前提，确保方法科学、行为公正、数据准确、客户满意。

方法科学：严格执行国内外有关技术标准、规范，确保检测方法的科学性。

行为公正：遵守国家法律、法规和有关政策，对所有用户提供相同的高质量服务，不参与相关产品开发、销售等商业活动，检测结果不受行政干预。

数据准确：检测数据和检测报告不应有差错。

客户满意：为客户提供优质的服务，对客户提供的投诉要及时处理，给客户以满意的答复。

2.2　质量目标

各单位根据自身情况制定，尽可能进行量化，例如：

(1)检测过程和结论 100%符合国家有关法律法规和国家 / 行业技术标准。

(2)合同履约率 100%。

(3)检测报告合格率 100%，行业主管部门质量抽查中不出现不合格报告。

(4)客户满意率 99%，本监测中心致力于持续改进，保持质量体系有效运行，并不断完善。

2.3　质量承诺

(1)本监测中心所有工作人员都能理解并坚决贯彻执行《评审准则》要求和中心质量方针、程序，通过认真工作达到质量目标。

(2)遵守国家有关法律、法规，依据标准开展监测工作，为社会和客户提供准确、可靠、公正的监测数据及报告，对出具的检测报告承担法律责任。

(3)本监测中心独立开展检测工作，工作质量不受任何商业、财政和其他内、外不正当压力的影响，不参加任何影响自身公正地位的活动。

(4)保护客户机密信息和所有权，遵守与客户约定的服务条款，保护客户的合法权益。

(5)本监测中心工作人员认真贯彻执行本手册的规定，遵守职业道德规范，努力实现质量目标及质量承诺。

第3章 质量手册管理

3.1 目的和依据

3.1.1 目的

为保证监测中心所有人员持有手册的现行有效性，本章对质量手册的编制、批准、发布、发放、更改、换版和对作废、失效版本的及时回收、存盘或销毁等做出了明确规定，以确保所有人员能够及时获得最新或现行有效版本。

3.1.2 依据

(1)《中华人民共和国水法》、《中华人民共和国水污染防治法》及其相关法律。

(2)GB／T15481—2000《检测和校准实验室能力的通用要求》。

(3)《产品质量检验机构计量认证／审查认可(验收)评审准则》(试行)。

(4)ISO／IEC 导则 2《标准化及相关活动的一般术语及定义》。

(5)JJF1001—1998《通用计量术语及定义》。

(6)国家及行业水环境监测标准、规程、规范。

3.2 适用范围

本《质量手册》是阐述本监测中心质量方针和目标、描述质量体系相关要素及它们之间关系的纲领性文件，是规范本监测中心质量活动的法规和准则，适用于本监测中心领导层、有关职能部门及人员对实验室内部质量管理、水资源质量监测及技术咨询服务等活动进行控制。

本《质量手册》是本中心向客户提供满足规定要求检测数据和服务的保证性文件。此外，也用做第三方对本中心质量体系进行认证／审查认可评审的依据。对内用于检测工作的实施、检查、审核、评审；对外用于评审机构和客户对检测能力、管理水平的综合检查和评价。

3.3 《质量手册》的控制、管理

(1)本《质量手册》分“受控”版本和“非受控”版本，封面分别印有“受控”和

"非受控"标识。本监测中心内部使用的《质量手册》为受控本，提供给上级有关部门、有关用户的为非受控本。受控版本的《质量手册》发放对象为本监测中心参与计量认证的职能部门和与检测工作有关的人员。所有《质量手册》均应统一编号、登记后发放。

(2)业务管理室为本《质量手册》归口管理部门，负责《质量手册》的解释、受控本的编号、发放、登记及追溯更改和换版。

(3)《质量手册》的持有者应妥善保管，不得随意修改，不得遗失、外借和复制，调离本监测中心前必须向业务管理室交还本人持有的《质量手册》。

(4)需要对外提供《质量手册》时，可向业务管理室提出申请，经中心质量负责人批准后作为非受控本提供，不编号，不追溯更改和换版。

3.4 《质量手册》的编制、修订、再版与发布

(1)《质量手册》由质量负责人组织相关的业务技术人员编制，经相关部门签审后交监测中心主任办公会议讨论通过，由监测中心主任批准、发布。

(2)当对《质量手册》部分章节修改时，应对相应的修订状态进行修改标识。《质量手册》修改后，质量负责人向《质量手册》受控本持有者发出修改通知，及时以换页方式按原发放范围发放修改部分。

(3)当经过质量体系审核或质量体系管理评审后，认为需要对《质量手册》做较大修改时，应对其改版。再版发放时，应收回旧版。

(4)作废页及手册作废版本由业务管理室负责收回销毁，并做好记录，如需保存作废版本时，需加盖"作废"标识。

3.5 《质量手册》的宣贯、实施

(1)《质量手册》批准发布后，由业务管理室制定《质量手册》宣贯工作计划，组织实施。

(2)《质量手册》持有者应认真学习、贯彻和执行本手册及相关质量体系文件。

(3)对新调入监测中心工作人员上岗培训时，必须安排《质量手册》的学习。

3.6 质量体系文件的编号规则

描述质量体系要素所形成的文件，监测中心采用汉语拼音大写与阿拉伯数字相结合的编号系统。

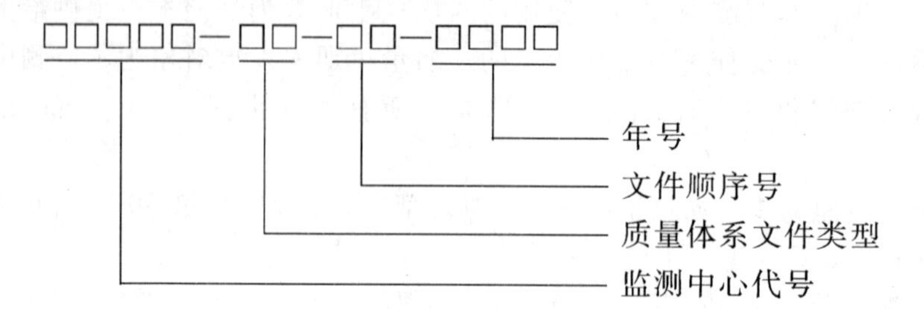

质量体系文件类型：SC—质量手册

CX—程序文件

ZD—作业指导书

JL—质量记录

3.7 相关文件

(1)《记录与档案管理程序》(×××××—CX—23—××××)。

(2)《保护委托人机密信息和所有权程序》(×××××—CX—24—××××)。

第4章 组织和管理

4.1 概 述

为了保证检测工作的公正性和独立性，独立对外行文和开展业务活动，上级主管部门×××××对本监测中心的法律地位、机构职能分配进行了明确的规定；同时，监测中心又按照岗位目标管理办法明确了各部门、各岗位的相应职责，规定从事影响检测质量的管理、执行或验证工作人员的责任、权利和相互关系，为监测中心质量体系运行奠定组织和管理的保障基础，适用于所有影响检测质量的区域和从事影响检测质量的管理、执行或验证工作的人员。

4.2 组织机构

机构法律地位、机构主要职能在本篇第 1 章中已详细叙述，在此不再赘述。组织机构框图见图 4-1，人力资源见本篇第 6 章；物力资源见本篇第 7 章。

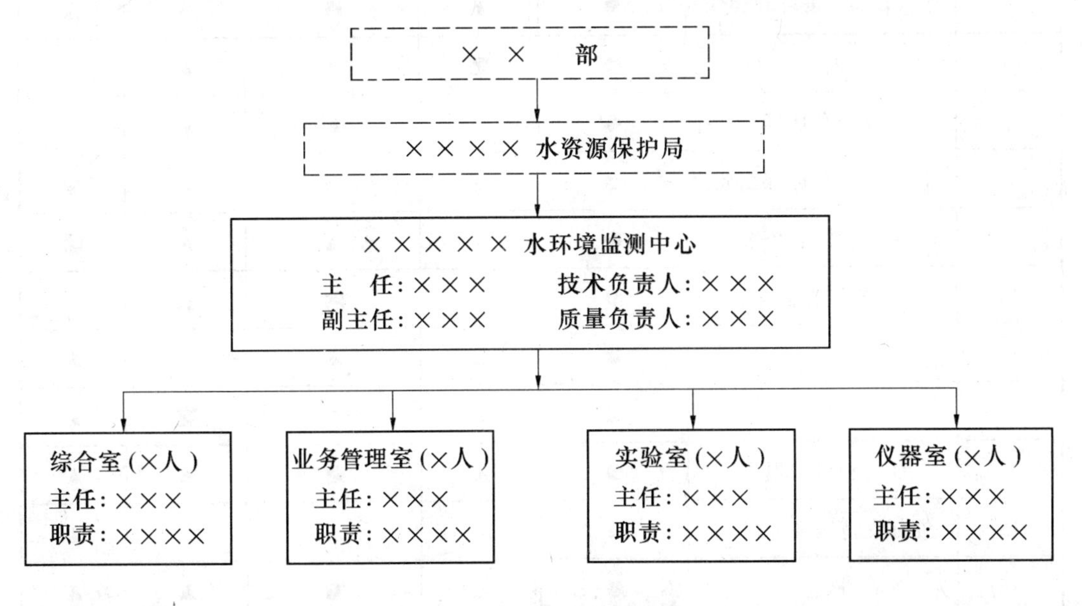

图 4-1 组织机构框图

4.3 职责与权限

4.3.1 机构职能分配

组织和管理的实施，不仅要有机构作保证，而且要建立责任制度，明确规定各级人员和职能部门的权力界限、职责范围和岗位责任，使全体人员都能各司其职、各尽其责、各善其事。通过质量职能分配把每个要素的每项活动按专业归口的原则，分配落实到部门；通过岗位责任制把全中心人员及部门有机地组织起来，协调地进行工作和管理活动，使其组织系统最有效地运行。

质量体系是实施质量管理的核心，质量体系各要素之间不是简单的集合，而是具有一定的相互依赖、相互配合、相互促进和相互制约的关系，各相关部门之间只有密切配合，才能确保该体系成为一个有机的整体。本篇质量手册中相关章(节)的职责分配及组织机构职能见表 4-1，具体职责分配见表 4-2。

表 4-1 职责分配及组织机构职能

章	质量体系要素	中心领导	综合室	业务管理室	实验室	仪器室
4	组织和管理	●	■	▲	▲	▲
5	质量体系、审核和评审	●	▲	■	▲	▲
6	人员	●	■	▲	▲	▲
7	设施和环境	●	▲	▲	■	▲
8	仪器设备和标准物质	●	▲	■	▲	■
9	量值溯源和校准	●	▲	▲	▲	■
10	检测方法	●	▲	■	■	▲
11	样品管理	●	▲	▲	■	▲
12	记录	●	▲	▲	■	▲
13	证书和检测报告	●	▲	■	▲	▲
15	外部支持服务和供应	●	■	▲	▲	▲
16	抱怨	●	▲	■	▲	▲

注：●为负责，■为归口管理，▲为参与协助。

表 4-2　具体职责分配

章	质量体系的要素名称	质量体系涉及部门和人员											
		中心主任	中心副主任	技术负责人	质量负责人	质量审核员	实验室负责人	质量监督员	外部保障人员	档案管理员	仪器管理员	样品管理员	检测人员
4	组织和管理	●	▲	■	▲	▲	▲	▲		▲	▲	▲	▲
	a. 监督			●		▲	▲	■					
	b. 能力验证和比对			●	▲		■	▲		▲			▲
5	质量体系、审核和评审	●	▲	■	▲	▲	▲	▲		▲	▲	▲	▲
	a. 质量体系的建立	●	▲	■	▲	▲	▲	▲		▲	▲	▲	▲
	b. 质量方针的发布和贯彻	●	▲	■	▲	▲	▲	▲	▲	▲	▲	▲	▲
	c. 质量体系文件的制定	●	▲	▲	■	▲	▲	▲	▲	▲	▲	▲	▲
	d. 质量体系文件的控制和维护	●		▲	■								
	e. 质量体系的审核			▲	●	▲	▲	▲					
	f. 质量体系的评审	●	▲	▲	■	▲	▲						
6	人员	●	▲	■									
7	设施和环境		●				■	▲	▲				▲
8	设备和标准物质			●							■		▲
9	量值的溯源和校准			●							■		▲
10	检验方法			●			■	▲					▲
11	样品管理			●					▲			■	▲
12	记录			■	●		▲	▲		▲	▲	▲	▲
13	检验报告			●			■	▲	▲	▲			▲
14	检测工作的分包			●	▲	▲	■	▲		▲		▲	▲
15	外部支持下的服务和供应			●	▲				■		▲		▲
16	抱怨			▲	■	▲	▲		▲			▲	▲

注：●为负责，■为主办，▲为参加。

4.3.2 部门职责

4.3.2.1 综合室(或其他称谓)岗位职责

(1)协助组织《质量手册》和各项规章制度的制定(修订)与管理工作。

(2)组织协调监测中心各部门工作，对中心重点工作进行督办。

(3)负责监测中心年度人员培训计划的制定和登记，组织年度人员考核，负责年度人员档案的归档管理。

(4)全面负责中心行政管理，起草工作计划、总结报告及有关文件，负责公文、信函处理和印章管理。

(5)组织样品的采集，保证样品采集质量。

(6)负责计划财务管理，编制年度财务计划。

(7)负责组织外部供应商的选择和评价。

(8)完成其他临时性工作任务。

4.3.2.2 业务管理室(或其他称谓)岗位职责

(1)负责国家、行业水环境监测技术规范、规定和技术标准收集、执行和归档管理工作。

(2)负责承接水环境监测任务，编制下达到实验室。

(3)负责实验室监测报告的合理性审查，负责各类水质月报、公报、旬报、年报、水质评价等信息上报与发布。

(4)负责年度水质监测资料整理、汇编以及成果资料的审查验收和归档管理。

(5)负责监测质量管理，协助质量负责人编制年度质量计划和质量管理工作总结及质量体系记录档案管理。

(6)负责中心标准物质的购置、保管、发放、更新、报废。

(7)负责质量体系监督检查，组织《质量手册》的制定(修订)和宣贯，承担质量体系文件的编写和管理工作。

(8)承揽委托检测和仲裁检测相关工作，负责检测报告的登记、发送工作。

(9)负责质量信息反馈和客户抱怨的受理。

(10)负责中心年度各类档案的归档管理工作。

(11)完成其他临时性工作任务。

4.3.2.3 实验室(或其他称谓)岗位职责

(1)负责采集样品的准备、接收和室内流转过程中的安全和质量。

(2)认真组织完成下达的各类监测工作任务。

(3)负责监测原始记录的计算、校核、复核及合理性审查，编制报送监测结果报告书。负责年度监测资料的整编，参加资料汇审工作。

(4)严格执行质量体系文件，负责本室内部质量控制、质量保证与质量监督工作。

(5)负责本室质量检测问题的处理，制定相应的纠正和预防措施，并组织实施。

(6)负责组织并接受各类质控考核、人员上岗考核、能力验证及方法比测。

(7)负责本室仪器设备开发、使用记录和日常维护，协助进行仪器设备的检定和自校验工作。不得使用未经检定、超过检定／校验周期或经检定／校验不合格的仪器。

(8)保证实验室环境条件，定期检查实验室的卫生，满足开展工作的需要，保证本室的安全生产。

(9)完成其他临时性工作任务。

4.3.2.4 仪器室岗位职责

(1)负责监测中心办公自动化和实验室自动化系统的开发、安装、调试、运行和安全管理。

(2)负责中心仪器设备的验收、安装、调试、维修。

(3)负责中心仪器设备的量值溯源，保证计量标准按国家和计量主管部门的规定正常使用、维护和检定。

(4)负责编制自校验仪器设备的校验方法和自校验工作。

(5)负责制定中心所有计量设备自检、校检(验)、仪器检定计划，并组织实施，按中心批准的仪器设备周期检定计划完成检定／校验工作。

(6)负责编制仪器设备更新改造和降级，以及报废计划的上报和实施。

(7)负责年度仪器设备档案的归档管理。

(8)参与中心质量体系监督检查和计量认证相关工作。

(9)完成其他临时性工作任务。

4.3.3 主要负责人岗位职责

4.3.3.1 中心主任(副主任)岗位职责

(1)全面负责中心各项工作，组织贯彻执行国家有关方针、政策、法律、法规，组织贯彻、实施上级下达的各项任务与计划，保证上级指示和要求在本监测中心的贯彻执行。

(2)负责质量管理体系的策划，制定本监测中心质量方针和质量目标，批准《质量手册》和《程序文件》，确保质量方针和目标为中心全体职工理解和执行。

(3)负责建立与质量体系相适应的组织机构，明确各部门的质量职责及相互关系。

(4)组织与实施质量保证体系的完成，审批内部审核计划，负责中心质量体系的管理评审，确保质量体系的有效实施和运行。

(5)批准本监测中心的发展规划和年度工作计划，组织配置所需资源，确保资源(人、设施、设备及所需物品等)满足工作的要求。

(6)审查和处理中心重大业务技术问题及客户对本监测中心的投诉。

(7)负责中心各部门工作的管理与协调。

4.3.3.2 技术负责人岗位职责

(1)全面负责中心的技术管理工作，以及与技术有关的资源管理工作。

(2)组织审定有关技术规定、技术总结、技术文件和其他专项技术报告，审定科研成果，评审技术论文。

(3)负责组织处理水环境监测工作中存在的重大技术问题。

(4)负责审批监测方法、标准方法验证、非标准检测方法的制定及修订。

(5)负责开展新工作的审查和检测结果的验证评估工作。

(6)负责组织实验室之间的比对、能力验证。

(7)组织有关职能部门实施各类人员的技术培训、考核工作。

(8)检查指导技术档案、技术资料的管理工作，组织收集与检测工作有关的国家(行业)新标准、新规范、新技术和新方法。

4.3.3.3 质量负责人岗位职责

(1)全面负责中心的质量工作，编制年度质量管理计划和工作总结，检查、监督质检工作的规范性。

(2)负责组织编制和修改质量体系文件，保持《质量手册》的现行有效性，并负责质量保证体系的运行、控制和维护。

(3)负责质量体系内部审核工作，安排内审计划并组织实施。

(4)执行检测标准、检测方法和操作规程，参与非标准方法的审定。

(5)协助技术负责人解决检测工作中出现的重大技术问题。

(6)负责各类检测报告、技术成果及技术报告的审核与审查，并具有质量否决权。

(7)处理重大质量责任事故及质量申诉。

(8)负责制定检测质量控制方案，审查质量控制结果。

(9)技术负责人不在时代行其职责。

4.3.4 部门负责人岗位职责

4.3.4.1 综合室主任岗位职责

(1)全面负责本室工作，落实本室人员岗位职责。

(2)参与各项规章制度的制定(修订)与管理，组织协调中心各部门工作。

(3)负责起草中心年度计划、工作总结、报告及文件等。

(4)负责中心年度人员培训计划的制定和登记，组织年度人员考核，检查年度人员技术档案的归档管理。

(5)组织科研项目的申报、实施检查、成果奖项申报等管理工作。

(6)参与中心质量体系文件的编写和修订、质量体系监督检查和计量认证相关工作。

(7)负责组织外部供应商的选择和评价。

4.3.4.2 业务管理室主任岗位职责

(1)全面负责本室工作，落实本室人员岗位职责。

(2)负责贯彻执行水环境监测技术规范、规定和技术标准，以及有关监测技术管理制度的制定和修订。

(3)负责水环境监测任务书的编制下达。

(4)负责水质旬报、月报、通报、公报、年报等水质评价报告的审查。

(5)负责组织水质监测资料的整理、汇编。

(6)协助质量负责人组织《质量手册》及相关体系文件的编写、修改及归档、管理、宣贯工作。

(7)负责质量体系监督检查相关工作的实施。

(8)受理用户的质量抱怨和向用户通报抱怨处理结果，协助中心质量负责人处理质量事故和质量抱怨。

4.3.4.3 实验室主任岗位职责

(1)全面负责本室工作，实施和管理所承担的水环境监测任务。

(2)负责完成承担的检测项目，负责监督检查本室的检测工作质量和各项质量管理制度的贯彻落实。

(3)负责检测项目报告的复核及合理性审查，并对复核的检测报告的质量负责。

(4)保证检测人员依据的检测方法正确、检测过程规范、检测数据可靠。

(5)督促检测人员按时编写检测报告和按时进行技术资料归档工作。

(6)负责本室质量检测问题的处理，制定相应的纠正和预防措施，并组织实施。

(7)负责组织年度监测资料的整编，参加资料汇审工作。

(8)组织并接受各类质控考核、人员上岗考核、能力验证及方法比测。

(9)认真执行《质量手册》，做好本室内部质量保证与质量监督工作。

(10)负责本室消耗品的购置和质量把关。

4.3.4.4 仪器室主任岗位职责

(1)全面负责本室工作，落实本室人员岗位职责。

(2)负责中心计算机网络的运行与安全管理。

(3)负责中心仪器设备的验收、安装、调试、维修和量值溯源，保证计量标准按国家和计量主管部门的规定正常使用、维护和检定。

(4)负责组织自校验仪器设备校验方法的编写和自校验工作。

(5)负责编制实验室仪器设备更新改造和降级、报废计划的上报和实施。

(6)负责制定中心所有计量设备自检、校检(验)、仪器检定的计划并组织实施；按中心批准的仪器设备周期检定计划组织完成检定／校验工作。

(7)负责年度仪器设备档案的归档管理。

(8)参与中心质量体系监督检查和计量认证的相关工作。

4.3.5 检测人员、质量监督、质量审核人员职责

4.3.5.1 检测人员职责

(1)持证上岗，严格按已批准的国家现行有关标准、规范、规程及检测实施细则开展

工作，认真完成各项检测任务，并对检测工作的质量负责。

(2)按规定认真填写原始记录，及时做好检测数据归档前的整理工作，以保证原始数据准确、可靠、完整、清晰。

(3)正确使用计量标准器具、标准物质，并保证其具有良好的技术状态，有权拒绝使用超过检定／校准周期的仪器设备。

(4)严格按操作规程正确使用和维护仪器，对所负责的仪器设备做到按要求定期保养，使用后及时填写使用情况记录。

(5)接受质量检查与质控考核。

4.3.5.2 质量监督员职责

(1)熟悉本专业的检测标准、方法，了解检测目的和操作过程。

(2)了解本监测中心的质量体系文件和运行要求。

(3)对采样人员采集样品的代表性和有效性、检测过程乃至检测报告的完成实施全过程监督。

(4)监督检测人员工作质量，及时反馈工作质量情况并提出建议。

(5)参与质量体系的监督检查工作，协助实验室主任对本室检测质量负责。

(6)参与质量申诉的事故认定，监督实施纠正(预防)措施。

4.3.5.3 内审组长／内审员职责

(1)在中心质量负责人的领导下，内审组长负责组建内审组，负责内部质量审核工作的具体实施，以及组织编写内部审核报告。

(2)内审员参与监测中心内部质量审核，负责审核活动记录的整理、分析。

(3)对纠正措施和预防措施的实施进行验证。

(4)完成中心质量负责人交办的其他工作。

4.3.6 检测报告审查人员职责

4.3.6.1 检测报告一审人员(实验室主任工程师)职责

一审人员的主要职责是对检测数据的准确可靠性负责，审核内容为：

(1)计量单位、符号、名词术语的正确性。

(2)样品编码传递的无误性。

(3)检测结果汇总表中的检测值从原始记录传递过来是否有差错。

(4)主要检测仪器计量检定周期内使用的有效性。

(5)检测依据和判定原则的标准号或检验项目名称及其技术指标书写的正确性。

(6)检测值计算的正确性、数据处理和有效数据修约的规范化。

(7)检验完成日期是否在样品保存有效期内。

4.3.6.2 检测报告二审人员(实验室主任)职责

二审人员的主要职责是对检测报告的正确严密性负责，审核内容为：

(1)抽取样品的有效合法性。

(2)检测依据和判定原则标准文本的有效性及选定的正确性。

(3)有否漏检项目。

(4)检测项目中互有关联项目检测值之间的匹配性、可信度。

(5)不合格项目是否复检，重检原始记录及其数据取舍的合理性。

(6)检测项目单项判定和检测结果综合评价的正确性。

(7)检测报告卷面质量。

4.3.6.3 检测报告三审人员(技术负责人、质量负责人)职责

三审人员的主要职责是对检测报告的合理合法性负责，审核内容为：

(1)检测报告可依据的原始记录数据资料的完整性。

(2)检测报告内容的齐全性。

(3)检测报告结论判定的正确性。

(4)承检的合法性，即有否超越承检范围。

4.3.7 与检测工作有关的各类人员职责

4.3.7.1 采样人员职责

(1)严格执行采样技术规定，保证在规定的采样点采样，确保采样质量。

(2)负责采样容器的清洗质量，保证样品不受沾污。

(3)认真填写采样记录，样品采回后及时交样品管理人员。

(4)保守采样质量控制措施的秘密，保证采样质控工作的有效性。

4.3.7.2 样品管理人员职责

(1)样品管理员按《样品的管理程序》开展工作。

(2)检查送样单填写是否合格，不合格者要求其重填，否则不予收样，对有可能影响分析质量的问题，及时报告实验室主任、质量负责人。

(3)负责检测样品验收、编码登记、唯一性标识管理，检测前后对被测样品的外观进行检查并记录；分类管理样品，对样品的检测状态做出明显标识。

(4)负责样品安全与保管，保证样品存放环境满足样品存放条件和贮存要求，保持样品的原始状态；确保在保管期内不改变样品的原有性能。

(5)根据外控通知，负责编制样品外控密码，由质量负责人对密码解密。

(6)严格执行样品的领取手续，与领取者共同检查并记录样品的完好状态。

(7)根据用户要求，做好留样的保管工作，以保证必要的复检。

4.3.7.3 仪器设备管理人员职责

(1)负责仪器设备验收、调试、安装的有关准备工作，并认真做好验收报告和记录，填写开箱验收单，建立仪器设备使用档案。

(2)负责妥善安置监测仪器设备，保证符合其安装要求，使其性能不受不良安置条件

和方式的影响。

(3)负责保存所管理仪器设备的检定／校准证书、报告。

(4)建立仪器设备台账，切实做到账物相符、使用部门明确。

(5)建立严格科学的使用管理制度，使所有仪器设备用、管、修、护等环节都责任明确、落实到位，保证其性能完好、准确有效。

(6)负责仪器设备的标识管理，做好仪器设备的日常维护与保养，并做好记录。

(7)负责仪器设备和玻璃量器的周期检定与量值溯源管理工作。制定所管理计量仪器设备检定／校准的年度计划，报室主任审核。

4.3.7.4 档案管理人员职责

(1)统一管理图书、检测原始记录、检测报告、技术报告等技术档案以及其他技术资料，为检测工作和质量监督服务。

(2)按制度规定做好图书、档案和资料的交接、登记、分类、编目、统计、保管和借阅工作。

(3)对超过保存期的资料提出可销毁的技术档案清单，经技术负责人批准后执行。

(4)提高警惕，做好技术资料档案的保密工作，未经允许不得随意复制，保证技术档案的安全。

(5)做好资料的防火、防盗、防蛀工作，以防资料被损坏。

(6)做好技术标准、专业图书、资料的订购工作。

4.3.7.5 库房管理人员职责

(1)严格执行剧毒化学品管理制度和仓库保管制度。

(2)对药品、玻璃仪器按品种、数量逐一清点无误后方可入库。

(3)建立药品和玻璃仪器账卡，做到规格、品种、数量账目清楚，物、账相符，存放整齐、合理，取用方便，不丢失，不损坏。

(4)提高警惕，做好库房防水、防潮、防火、防爆、防盗工作。

(5)及时向室主任反映物资库存情况，制定物资购买计划。

(6)定期清查、整理库房物品，对长期不用或需报废的物品提出处理意见，经领导批准后做相应的处理。

(7)注意安全生产，防止人身中毒事件的发生。

4.4 权利委派

4.4.1 授权管理

×××××水环境监测中心主任是本中心的法人代表，对本中心的人员和工作实行全面的领导和管理。下设各室室主任由中心主任委托授权，领导与管理各自所在科室的工作。监测中心副主任、技术负责人和质量负责人由中心主任委托授权，签发所辖区域的检测报告和技术文件。

4.4.2 委托代理人职权

监测中心主任不在时，中心副主任代行其职权；技术负责人不在时，质量负责人代行其职权；质量负责人不在时，技术负责人代行其职权；技术负责人和质量负责人都不在时，则由中心(副)主任代行其职权。

各职能部门负责人不在时，授权委托人代行其职权。

样品管理人员、仪器设备管理人员、档案管理人员、库房管理人员不在时，由相关的室主任指定临时代理人代行其职权。

4.4.3 中心检测报告授权签字人

按质量体系文件规定，检测报告授权签字人应具有相应的职责和权力；具有相应的工作经历；熟悉相应的检测管理程序及记录、报告的核查程序；掌握有关的检测项目限制范围；掌握有关仪器设备的校准状态；具有对相关检测结果进行评定的能力；熟悉计量认证／审查认可准则及相关技术文件要求。本中心检测报告授权签字人及授权签字领域情况见表 4-3。

表 4-3 检测报告授权签字人及授权签字领域情况

姓 名	职 务	签字领域
×××	技术负责人	
×××	质量负责人	
×××	监测中心主任	
×××	监测中心副主任	
×××	监测中心副主任	

4.5 保护委托方机密和所有权的规定

(1)为了保证检测工作的公正性和保护客户的合法权益，本中心员工必须严格遵守《保护委托人机密信息和所有权程序》，都有责任为客户保护技术信息、机密信息、商务秘密及所有权(含专利权)。

(2)凡委托方要求保密的有关检测样品的技术资料和检测数据，检测人员必须保守秘密，不得向客户以外人员泄露，违者按规定处罚。

(3)本中心任何人员不得将委托方的技术资料和检测数据用于中心或个人技术开发或咨询。

(4)本中心员工如有违反保密程序和规定，将追究其行政和经济责任，造成不良后果的严加处理。

4.6 相关文件

《保护委托人机密信息和所有权程序》(×××××—CX—24—××××)。

第 5 章 质量体系、审核和评审

5.1 概 述

质量是检测工作的生命线，质量是检测实验室具备竞争力的关键，也是环境检测管理的出发点和归宿点。为确保检测质量，就必须对影响检验数据的诸多因素进行全面控制，将检验工作的全过程以及涉及到的其他方面，作为一个有机的整体，系统地、协调地把影响检验质量的技术、人员、资源等因素及其质量形成过程中各个活动的相互关系加以有效的控制，加强实验室的内部管理，建立质量体系。

中心最高管理层负责领导质量体系的建立、实施和有效保持；业务管理室负责质量体系的建立、组织实施，其他科室密切配合。

5.2 质量体系建立

本中心按照质量管理和质量保证系列标准及校准与检测实验室能力通用要求标准，建立了与其承担的检测工作类型、范围相适应的质量体系，并已文件化。

本中心建立的质量体系相互衔接、相互作用，其运行原理如图 5-1 所示。质量体系体现了以下 4 方面要求：

(1)质量体系能被中心全体人员理解、实施，并得以有效运行。

(2)检测数据能满足委托方和上级水行政主管部门的需要与期望。

(3)充分考虑了对外服务的需要与可能。

(4)重点放在了质量问题的预防上，便于考核和验证。

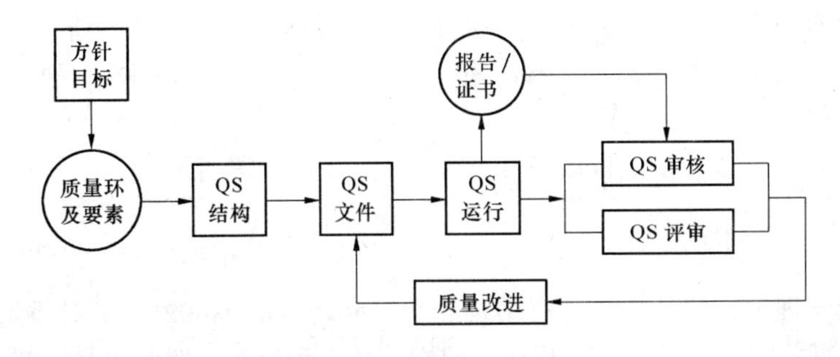

图 5-1 质量体系运行原理

5.2.1 质量环及要素

5.2.1.1 质量环

质量环是从识别需要直至评定这些需要是否得到满足的各个阶段中，影响质量的相互作用的活动的概念模式。质量环描述了检测报告质量形成的全过程，是水环境监测机构质量体系设计构思及运行的基本依据。根据水环境监测工作特点，本中心水环境监测工作质量环包含 10 个方面，如图 5-2 所示。

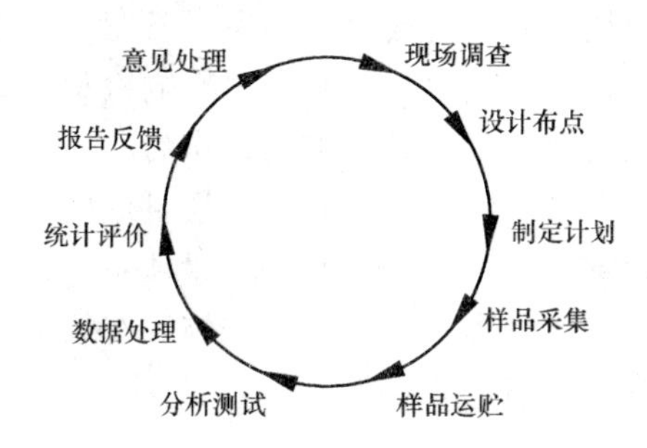

图 5-2 监测工作质量环

5.2.1.2 质量体系要素确定

质量体系要素是组成质量体系的基本单元，是过程的抽象。本中心质量体系共包括 4 个层次的质量要素。

第一层由管理职责、质量体系原则和质量成本三个要素构成，是总体性要素，对质量体系的建立、实施和评价起保障作用。

第二层由现场调查、布点设计、检测计划、样品采集和管理、分析测试、评价验证和报告反馈七个要素构成，属于基本过程要素，是监测质量形成的重要环节。

第三层由质量控制和意见处理两个要素构成，属于辅助过程要素，对基本过程要素的有效实施起着辅助作用。

第四层由质量文件与记录、人员、统计技术三个要素构成，属于基础性要素，对质量体系的建立、实施和评价起着保障作用，是总体过程要素、基本过程要素和辅助过程要素的基础与保证。

以上各层面质量体系要素构成及相互关系可用图 5-3 表示。

5.2.2 质量体系结构

根据系统学理论，凡是系统都有结构和功能问题，ISO8402：94 对质量体系的定义是：为实施质量管理的组织结构、程序、职责、过程和资源。按照定义，结合实际情况，本中心的质量体系结构主要是由组织结构(含职责)、程序、过程和资源四部分组成。

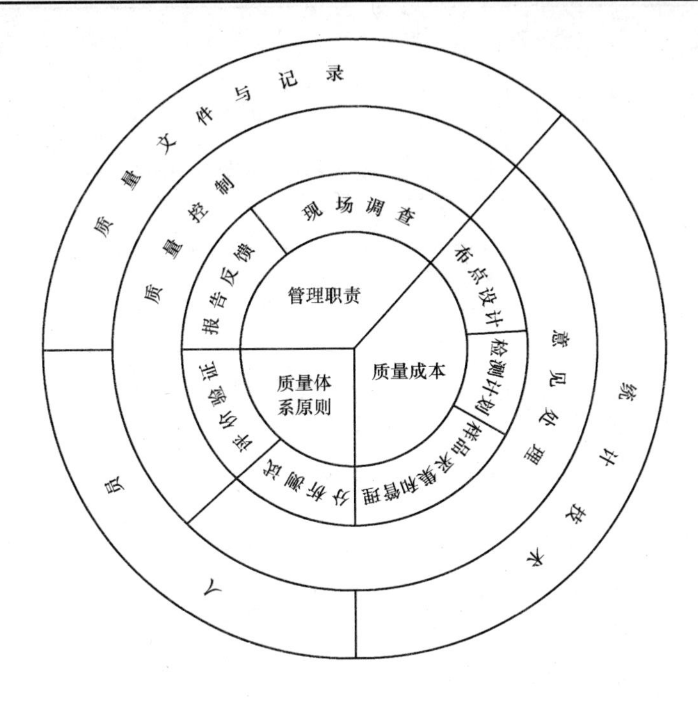

图 5-3 质量体系要素构成及相互关系

其中组织结构及职责范围见本手册第 4 章，程序文件编写要求见本手册第 5 章，资源见本手册第 6 ~ 第 8 章，程序、过程贯穿本手册所有章节的相关资源和活动。

5.3 质量体系文件

质量体系文件是建立健全质量体系的重要组成部分，是将全部体系要素用文件形式加以规定和描述。它是一个实验室内部实施质量管理的法规性文件，也是向委托方(客户)证实质量体系实用性和实际运行状况的证明。

质量体系文件一旦被批准，就必须遵照执行。它具有法规性、唯一性和适用性的特点。

质量体系文件一般由《质量手册》、《程序文件》、质量计划和质量记录四部分组成。本中心质量体系文件分《质量手册》、《程序文件》和其他质量文件三个层次，组成构架见图 5-4。

5.3.1 《质量手册》

本《质量手册》是确立本监测中心质量方针，描述其质量体系的纲领性文件，覆盖了水环境监测样品质量控制、检测过程控制、仪器设备控制、人员素质控制、设施与环境控制的全部质量体系要求。

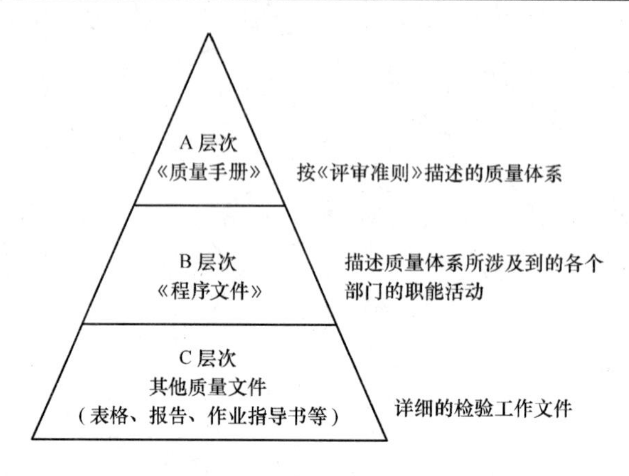

图 5-4 质量体系文件组成构架

因此，《质量手册》是监测中心实施和保持质量体系应长期遵循的文件。同时，它也是监测中心向客户提供满足规定要求的检测数据和服务的保证性文件，并用做第三方认证。

5.3.2 《程序文件》

《程序文件》是规定实验室质量活动方法和要求的文件，是《质量手册》的过程文件和基础性文件，明确规定了保证质量体系有效运行的活动方法和措施。

5.3.3 质量记录

质量记录是检测质量达到规定要求的质量证明，是质量体系有效运行的客观证明，也是分析质量问题的依据，是一种提供客观证据的文件。

监测中心规定对质量体系运行及水环境监测等质量活动均要做记录。对每一项活动，都必须有对应的输入和输出记录。按质量记录的不同类型，规定其标识、收集、编目、归档、贮存、保管和处理方法，明确各有关部门的职责和权限。

质量记录应真实、完整，贮存环境适宜，便于检索。在规定保存期限内，保证质量记录完好无损。

5.3.4 其他质量文件(作业指导书)

其他质量文件是保证《质量手册》和质量体系程序正确、有效运行和实施的支持性文件，是监测中心各项质量活动遵循的具体作业指导性文件。主要包括分析方法、仪器操作及校验规程、野外采样、分析测试、数据处理记录表格等。

各质量体系要素的责任部门和责任人应建立相应要素活动记录，以证实活动的有效性。

5.4 质量体系运行

5.4.1 质量体系运行控制

为加强对质量活动的监控，保证各项检测活动按体系文件的规定有效运行，建立质量保证体系。质量保证体系从人员素质、仪器设备、检测环境、检测方法、质量事故和抱怨处理等质量要素方面，根据相关程序进行全过程质量控制和监督。

质量要素活动的开展严格执行《质量手册》和《程序文件》的各项规定，定期对《质量手册》和《程序文件》的执行情况进行检查，具体的质量控制措施严格按照《验证试验与内部质量控制程序》和《内部质量体系审核程序》执行。本中心质量管理体系运行控制见图 5-5。

5.4.2 质量体系文件控制

质量体系文件的控制与维护见《质量体系文件控制和维护程序》。

5.4.3 质量策划

对客户有特殊要求或技术特别复杂(非常规)的项目和新开展检测项目，当中心质量体系文件无法覆盖并满足其特殊质量要求时，应单独进行质量策划。业务管理室负责人根据项目的质量特性确定质量目标，编制项目质量计划。项目质量计划可以引用质量体系文件，但应着重根据项目特性进行修正和补充。项目质量计划经中心技术负责人审核、中心主任批准后由业务管理室负责组织实施。

5.5 内部质量体系审核

(1)内部质量体系审核的目的是查明质量体系的实施效果是否达到了按检测机构的目标所建立的质量管理体系的要求，及时发现存在的问题，以便通过采取论证和预防措施，来进一步提高质量体系的符合性和有效性。

(2)质量负责人应在对本中心的质量目标、质量体系运行情况和检测工作质量状况进行深入了解及分析的基础上，组织制定年度质量体系审核计划和实施方案，确定审核频次，报中心主任批准后按质量体系要素对涉及质量活动的各部门进行内部质量体系审核。

(3)每年组织进行 1～2 次内部审核。质量体系的每一个要素应至少每年被审一次。质量负责人组织内部质量体系审核。

(4)审核小组由中心管理层相关人员组成，内部审核员为经过专门培训、有相应的授权文件、与被审核部门无直接责任的人员担任，以确保审核的公正性。

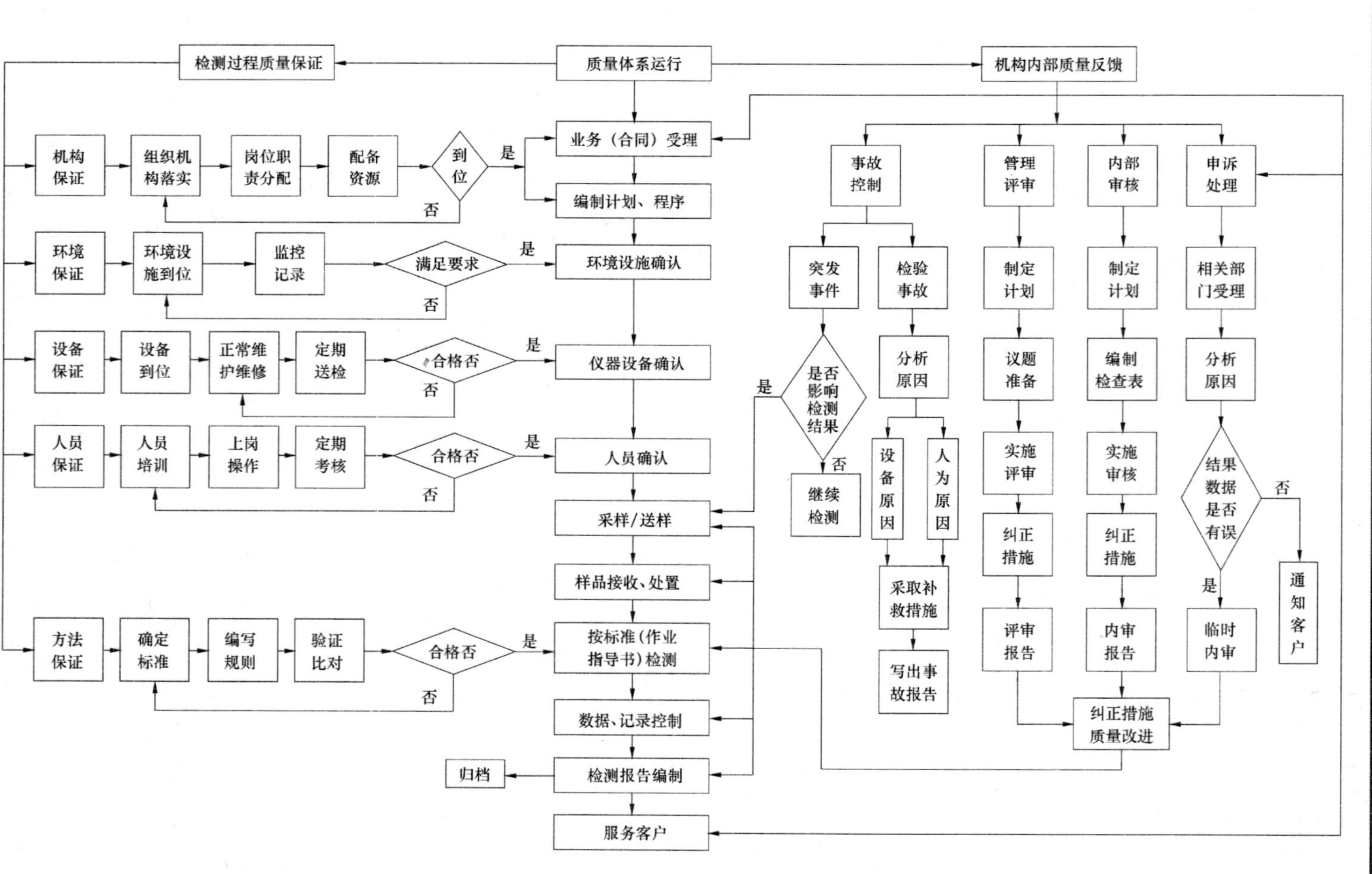

图 5-5 质量管理体系运行控制

(5)内审按部门(或审核要素)分批或集中进行现场审核，编制审核报告。对其中提出的不合格项，由责任部门进行原因分析，制定纠正措施，经审核组长签字、质量负责人批准后实施。

(6)质量负责人负责组织内部审核后的跟踪审核活动，核实并记录所采取纠正措施的实施情况及有效性。

(7)内部质量体系审核中发现检验结果的正确性和有效性可疑时，质量负责人应责成实验室或相关科室立即采取纠正措施，业务管理室书面通知可能受影响的相关单位。

(8)应详细记录内部审核计划、方案、活动范围、审核结果和所采取的纠正措施等文件。

(9)业务管理室负责收集各审核资料，对有效纠正措施应纳入质量体系文件。审核资料、记录和审核报告经质量负责人批准后由业务管理室归档保存。

(10)内部质量体系审核结果作为管理评审的输入。

5.6 质量体系管理评审

(1)管理评审的目的是为了确保质量管理体系运行的适宜性、充分性和有效性。由最高管理层就质量方针和质量目标，对质量体系的现状和适应性进行正式的评价。其目的是通过管理评审对质量体系进行全面的、系统的检查和评价，确保水环境监测机构的质量方针、目标得以实现，并保持质量体系整体的有效性、充分性及环境变化后的适应性。

(2)监测中心主任采用会议形式组织内审员就质量方针、目标对质量体系的持续适用性、现时有效性进行管理评审，每年一次，特殊情况应增加评审频次。

(3)业务管理室负责收集评审资料，质量负责人审查后提交会议讨论，评审资料、记录和评审报告经中心主任批准后，由业务管理室归档保存。

(4)各有关部门应根据管理评审中提出的要求，制定质量体系改进措施，报中心主任批准后实施，业务管理室应跟踪、督查并验证质量体系改进措施的效果。

(5)评审组进行管理评审，评审组成员由中心副主任、技术负责人、质量负责人和中心各室的负责人组成。

(6)管理评审内容和程序见《管理评审程序》。

5.7 验证和比对试验

5.7.1 目的

为了验证检测能力和检测工作质量，证实采用检测方法的正确性、有效性，中心除定期开展质量体系审核外，将按《验证试验及内部质量控制程序》积极开展验证试验和实验室间比对，确保向客户提供的检测数据准确、可靠。

5.7.2 试验方式

监测中心按《验证试验及内部质量控制程序》使用合适的方法及数理统计技术进行内部质量控制。能力验证和比对试验选择以下方式：

(1)参加能力验证试验或实验室间的比对。

(2)对保留样品进行再检测。

(3)用相同或不同的方法进行重复检验。

(4)定期使用标准物质(标样)进行验证。

5.7.3 试验内容

验证和比对试验计划内容如下：

(1)参加比对的试验项目。

(2)参加比对的实验室名称。

(3)具体验证和比对试验时间安排。

(4)必要时规定参加比对试验的人员。

5.7.4 其他

技术负责人负责比对和验证试验工作，组织评审试验结果报告。实验室按验证和比对试验计划组织实施。

5.8 相关文件

(1)《记录与档案管理程序》(×××××—CX—23—××××)。

(2)《内部质量体系审核程序》(×××××—CX—07—××××)。

(3)《管理评审程序》(×××××—CX—08—××××)。

(4)《验证试验及内部质量控制程序》(×××××—CX—04—××××)。

第6章 人 员

6.1 概 述

按检测业务的要求，监测中心配备不同技术层次的工作人员，重要的技术岗位均由工程师或具有丰富工作经验的人员负责。检测人员经考核合格取得上岗合格证方可上岗，实行一专多能管理，对各类人员均建立岗位责任制，明确职责。根据检测业务发展需要，制定技术培训计划，不断提高职工技术素质。

6.2 人员配备

6.2.1 人员构成

监测中心根据检测工作需要，按规定的比例配备具有一定素质的管理人员、监督人员和检测人员，其思想素质、技能水平、知识结构能适应各项检测工作要求。监测中心人员构成和检测人员基本情况见表6-1。

6.2.2 各类人员的任职资格和条件

6.2.2.1 中心主任

(1)具有高度事业心、责任感，通业务，会管理。

(2)熟悉国家、部门、地方关于水环境监测方面的法律、法规等。

(3)具有较强的分析、归纳和综合能力。

(4)掌握本专业的基础理论和专业知识，具备审批相关专业检测报告的能力。

(5)了解本监测中心业务范围内其他相关专业知识，具备市场开拓和计划经营的能力。

6.2.2.2 技术负责人和质量负责人

(1)具有工程师以上职称和5年以上专业工作经验。

(2)具有高度的事业心、责任感和科学态度。

(3)熟悉计量和计量认证方面的有关知识，具有较强的分析、归纳和综合能力。

(4)具备水资源保护、水环境监测有关专业知识。

(5)具备审查检测实施细则、测试报告的能力。

(6)熟悉水环境监测有关标准和检测技术标准。

表 6-1 监测中心人员构成和检测人员基本情况

序号	姓名	性别	年龄	文化程度	职称	所学专业	从事本技术领域年限	现在部门岗位	本岗位年限	备注
1	×××									
2	×××									
3	×××									
4	×××									
5	×××									
6	×××									
7	×××									
8	×××									
9	×××									
10	×××									
11	×××									
12	×××									
13	×××									
14	×××									
15	×××									
16	×××									
…	…									

6.2.2.3 室主任

(1)具有工程师以上职称和 3 年以上专业工作经验。

(2)具有高度的事业心、责任感、钻研实干精神和较强的组织协调能力。

(3)了解本监测中心业务范围内相关专业知识。

(4)熟悉水环境监测有关标准和检测技术标准。

(5)具备审查水环境检测报告的能力。

(6)能协调与其他部门的关系，调动全室人员的积极性，具有一定的组织管理能力。

(7)掌握本专业基础理论和专业知识，了解水环境监测业务范围内及其他相关专业知识，能熟练地解决本专业技术难题。

6.2.2.4 检测人员

(1)具有中专以上学历或相应专业技术职称，经专业理论、基本操作、计量知识、误差理论考核合格，持证上岗。

(2)具有一定的专业基础理论知识，熟练掌握测试分析操作技能。

(3)熟悉本专业的操作规范及所从事项目的有关标准、方法和原理等。

(4)熟悉质控知识，能够开展检测质量控制。

(5)熟悉误差理论和有关数理统计知识，能独立进行数据处理。

(6)熟悉仪器设备性能，具备操作该仪器设备的基本知识，并经考核合格取得合格证书。

(7)新补充或重新上岗人员要符合上述资格条件要求，并经技术负责人和质量负责人考核合格方可开展检测工作。

6.2.2.5 内审员

(1)具有大专以上学历，具有口头和书面表达能力，能够准确、清楚地表达自已的意见。

(2)熟悉《产品质量检验机构计量认证／审查认可(验收)评审准则》(试行)及其他相关评审准则，经过水利系统组织的计量认证／审查认可评审准则的培训及有关质量审核知识的培训，并取得合格证书。

(3)具备 3 年以上相关的实践经验，至少从事 2 年质量管理工作，并有参加质量审核的经验。

(4)具备坦率、坚持真理和实事求是的品质，具有较强的分析、判断和应变能力。

(5)熟悉国家计量认证／审查认可(验收)评审准则以及其他相关评审准则。

(6)熟悉本中心颁布的各项规章制度和质量体系文件。

6.2.2.6 质量监督员

(1)具有大专以上学历或相应专业技术职称。

(2)熟悉检测方法和操作程序，了解每项检测工作的目的。

(3)懂得如何实施对检测操作过程、采样、检测资料、报告等的监督。

(4)质量监督员的人数不少于总检测人员的 1／10。

监测中心的主任、技术负责人、质量负责人及各科室负责人和内审员、质量监督员均有正式任命文件。中心主任和技术负责人、质量负责人任命或变更时，应报上级计量办公室备案。

6.3 人员培训

(1)为高质量、高效率检测工作提供持续合格的人员，监测中心有目的、有计划地组织各类人员的技术业务培训。培训的原则是学用一致，专业对口，干什么学什么，缺什么补什么。

(2)技术负责人应根据现有和预期的任务与发展要求，制定年度人员教育、培训计划(见表 6-2)，计划经中心主任批准后由技术负责人根据《员工培训与考核程序》(××××—CX—9—2003)组织实施。

表 6-2　××××~××××年人员业务培训计划

序号	培训目标	培训人数	培训方式	培训时间	培训内容
1	提高职工职业道德水准				
2	提高法律意识				
3	提高职工实验室基本知识				
4	提高实验室管理水平				
5	提高员工专业理论水平				
6	提高专业技术、技能				
7	提高外语水平				

(3)培训方式采取内部培训和外部培训两种，自学为主，授课为辅。不定期举办专业技术讲座和检测方法研讨，有计划、有目的地选派人员参加国内外学术交流、技术研讨等活动，个别优秀者可选送脱产学习。

(4)培训内容包括专业知识、标准知识、质量控制知识、计量理论知识、误差理论、数理统计、法规条例、质量管理、计算机和外语等各岗位所需要的应知应会的内容。

(5)人员培训的过程必须做好记录和档案管理工作，见表 6-3。

6.4 人员考核

(1)监测中心实施检测工作持证上岗考核制度，监测中心所有检测人员均经考核合格并取得合格证后方能独立上岗工作。考核情况见表 6-4。

(2)质量负责人组织新工作人员的上岗考核，考核内容包括仪器设备的工作原理、操作技能和专业理论知识等内容，经考核合格后发给上岗证，持证上岗。

表 6-3　××××年以来监测中心人员培训情况

序号	培训班名称(文件号)	时间	参加培训人数	培训内容	备注

表 6-4　检测人员业务考核情况

姓名	单位	计量知识考核		专业理论考核		操作考核				样品测试考核				项目合格证	检定员证	检验员证
		考核时间	成绩	考核时间	成绩	项目	主考单位	考核时间	成绩	项目	主考单位	考核时间	成绩			

(3)凡初次参加项目分析或采用新分析方法的人员，应首先进行分析项目精密度偏性试验，对其测定结果的评价合格并取得合格证后方能上岗操作，出具检测数据。

(4)凡初次使用贵重、精密仪器的人员，应进行仪器设备工作原理、操作规程和操作技能考核，考核合格后发给贵重、精密仪器操作证方可上岗操作，出具检测数据。

(5)对持有上岗证的人员，由业务管理室进行定期或不定期的考核，考核方式采取密码加标、精密度偏性试验等方式。抽考不合格的要重新参加单项技术培训和单项上岗考核，考核合格后方可上岗。

(6)计量检定员和内审员须参加计量主管部门的培训、考核，取得《计量检定员证》和《内审员证》，并按规定参加复查。

(7)按照主管单位人事部门统一安排，监测中心主任组织中心各类人员的年度考核，考核内容包括工作态度、业务水平、工作业绩以及发表的论文和著作等。

6.5 人员技术档案

(1)监测中心建立和保存各类人员的技术档案，包括学历证明、工作经历、技术培训记录、工作业绩，以及论文、著作和科技成果等。

(2)监测中心技术人员的资质、职称、经历等人事资料保存在综合室；培训记录、上岗证、技能证明等技术资料保存在业务管理室。

(3)业务管理室应会同综合室定期评审、修正和补充各类人员技术档案，以保证其准确完整，以供监测中心在管理和使用人员时使用，也为认证机构评审时提供证据。

6.6 相关文件

(1)《员工培训与考核程序》(×××××—CX—9—××××)。

(2)《记录与档案管理程序》(×××××—CX—23—××××)。

第7章　设施和环境

7.1　概　述

为保证检测结果的准确率和有效性，实验室根据不同的检测要求设置相应的检测环境并加以控制。必要时，配置环境监控和记录设施，对可能影响检测工作的环境因素进行有效的监控。实验室环境设施、安全应急设施、办公通讯设施、服务性设施等各种设施的配置均应满足检测工作正常和安全的需要。

7.2　设施与环境要求

(1)检测区域应布局合理，充分考虑能源、采光、采暖、通风等要求，并采取有效隔离措施，防止对检测工作质量产生不利影响。

(2)对检测项目有特殊环境要求的检测室或工作区域，应装有温控和去湿设备，其设施的配备应满足标准的要求。

(3)若检测过程有强噪声产生，应采取减噪或隔声措施。有废气、废水、烟雾产生的检测室和试验装置，应配有合适的排风系统，以保证检测工作质量不受影响，检测人员健康不受损害。

(4)在有关标准、方法和程序有要求或对检测结果的质量有影响时，检测人员应按《检测环境的建立、控制和维护程序》对环境条件进行监控并记录。若出现环境不符合检测要求，应停止检测工作，按《出现意外时的反馈和纠正措施程序》进行检查。

(5)检测过程中使用的消耗性材料和物质的贮存对环境条件有要求时，应有保证措施予以满足，避免材料和物资的损坏或变质。

(6)样品的收发、制备、测试和贮存环境应符合标准规定或样品特定的要求，特殊样品应采取有效防护措施，防止样品污染变质或对环境造成危害，详见《样品的管理程序》中的有关规定。

(7)为保证检测工作的正常开展，各部门应配备足够和适用的办公、通讯及其他服务性设施，并按有关规定加强管理。

(8)个别检测项目按委托方要求在实验室外进行时，其设施与环境也应按本章的有关规定进行控制。

(9)各实验室的环境条件要求详见表7-1。

表 7-1 实验室环境条件要求

条件代码	A	B	C	D	E	F	G	H
	防尘	防振动	防腐蚀	恒温	去湿	避直射光	避强磁场	安全
	I	J	K	L	M	N	O	P
	通风	采光	防有毒气体	环保	整洁	无菌	良好接地	特殊要求

序号	环境名称	要求条件与措施	
1	精密仪器室	要求	A,B,C,D,E,F,G,H,M,O
		措施	A,M—搞好卫生，入室换鞋 B,G—附近不能有振源和产生强磁场的设备 C—室内不进行化学操作，不放腐蚀性物品 D,E—配空调机、去湿机，温度保持在(25±5)℃，湿度≤75% F—设窗帘 H—设防火器材(配备灭火器)，有报警装置，落实安全制度 O—接地电阻合格，仪器独分相
2	化学实验室	要求	A,C,H,J,K,L,M
		措施	A,M—搞好卫生 C,K—设通风橱，腐蚀性物品放置合理，良好通风，有排风扇 H—设防火器材(配备灭火器)，有报警装置，落实安全制度 L—放废液缸，有环保措施，废水经处理后排放 J—采光合理
3	生物实验室	要求	A,H,I,J,L,M,N
		措施	A,M—搞好卫生，地面铺地砖便于冲洗 H—设防火器材(配备灭火器)，落实安全制度 I,J—合理采光，通风良好，有排气扇 L—有环保措施，废水经处理后排放 N—紫外灯适时消毒，配备有效的消毒设备，所有器具消毒
4	无菌室	要求	A,D,E,H,J,M,N
		措施	A,M—密封门窗，入室换鞋，搞好卫生 D,E—有独立的恒温、恒湿机房 H—设防火器材(配灭火器)，有报警装置，落实安全制度 J—合理采光 N—设过双缓冲区和隔离室，入室换鞋，设独立的空气过滤系统，紫外灯适时消毒
5	天平室	要求	A,B,C,D,E,F,G,M
		措施	A,M—搞好卫生，保持整洁 B—天平台应是安装在承重墙上的悬臂结构 C—不得放腐蚀性物品 D,E—配空调机、去湿机，温度保持在(20±5)℃，湿度≤70% F,G—天平放置避免阳光直射和强磁场影响
6	样品室	要求	A,D,H,I,J,M,P
		措施	A,M—搞好卫生，放置合理 D—有空调控制温度 H—门窗锁性能良好，落实安全措施，专人保管钥匙 I,J—通风、采光良好 P—样品划分区域放置，调取样品方便迅速，超过保质期及时下架

7.3 监控与维持

(1)若环境条件对测试结果和设备精度有影响，应按影响程度采取不同的监控措施，必要时配备相应的监控与记录设备。具体措施和配备要求由各实验室提出，经审批后组织实施。

(2)仪器室配合实验室按《仪器设备的控制与管理程序》的相关要求做好各种设施的日常维护，定期检查设施的完好性和环境条件的符合性，如有损坏应及时修复。

(3)质量监督人员在履行监督职责时，发现检测过程中环境条件或辅助设施不符合要求时，应提出纠正和整改通知。必要时责成检验人员终止试验，对此间出具的检测数据的有效性应做分析和判断处理。

7.4 实验室安全管理

7.4.1 遵守安全管理规定

为保障检测工作过程中人身和仪器设备的安全，各实验室应严格遵守实验室安全管理的规定。

7.4.2 配备各种必要的设施及装置

各工作场地应配备灭火器、沙箱等相应的消防设施及其他相应的防范和应急装置，并放置于醒目易取的地点。在必要的区域配备防盗和安全保密设施。

7.4.3 安全注意事项

实验室应有整体安全消防设施，并落实到人，应建立检查管理制度，确保位置正确、性能完好。一旦发生安全事故，当事人应及时采取措施排除险情，并及时报告领导。

(1)实验室无人工作时，必须切断电、水、气源，关好门窗，确保安全。

(2)各种用电设施，必须接地良好，接线牢固，负荷适中，确保安全。

(3)涉及操作安全的设备，应有安全操作规程，操作人员必须严格遵守。现场操作时，应遵守现场规定的安全操作规程。

7.4.4 特殊物品的使用保管

对于易燃易爆及有毒害等危险品的使用保管按《试剂、危险品管理程序》的有关规定执行；对于实验室废弃物的处理和排放按环保要求进行。

(1)建立贵重物品管理制度，实行专人专库专账管理，防止发生丢失事故。

(2)建立易爆、易燃、腐蚀性、放射性等危险物品管理制度，实行专人专库专账管理。

(3)危险品库房应与检测实验室分开，并采取相应的安全防范措施。

(4)对废弃检测样品、过剩有毒试液等，应设置专门收集器皿统一收集，集中处理。

7.5 实验室内务管理

(1)实验室应按《实验室安全与内务管理程序》的要求搞好内务管理，使实验室保持清洁、整齐、安全的良好受控状态。不得在实验室内进行与检测无关的活动、存放与检测无关的物品。

(2)无关人员未经批准不得随意进入实验室，尤其是有特殊环境要求的工作区域，应有警示并严格限制人员的进出，以免影响环境和稳定性及检测工作的安全。

(3)外来人员进入实验室须经实验室负责人许可，并应有实验室人员陪同，须遵守本实验室保密规定及其他有关管理制度的要求。

7.6 相关文件

(1)《实验室安全与内务管理程序》(×××××—CX—10—××××)。

(2)《检测环境的建立、控制和维护程序》(×××××—CX—11—××××)。

(3)《仪器设备的控制与管理程序》(×××××—CX—12—××××)。

(4)《标准物质的管理程序》(×××××—CX—13—××××)。

(5)《试剂、危险品管理程序》(×××××—CX—22—××××)。

(6)《样品的管理程序》(×××××—CX—19—××××)。

第8章　仪器设备和标准物质

8.1　概　述

仪器设备和标准物质是完成检测任务的物质保障。应确保监测中心全部仪器设备和标准物质的配置与使用，使检测所需仪器设备(包括永久控制范围以外的借用和租用仪器设备)和标准物质的购置、验收、维护、流转始终处于受控状态，保证在用仪器设备的技术性能、量程、准确度、分辨率等满足所开展检测项目标准的要求。

8.2　职责分工

(1)仪器室负责仪器设备的安装、调试、验收、维修、建档，以及在用仪器设备的检定和监督管理。制定自检、校检(验)、检定计划并组织实施，提出降级、报废处理申请和实施。

(2)实验室负责仪器设备的开发、使用记录和日常维护，协助进行仪器设备的检定和自校验工作。

(3)综合室负责组织仪器设备购置的询价和政府采购。

(4)业务管理室负责标准物质的购置、保管、发放、更新、报废的申报和实施，保证其处于受控状态。

8.3　仪器设备和标准物质的配置要求

(1)实验室应配备用于检测参数实施监测的全部仪器设备(包括标准物质)。

(2)监测中心仪器设备情况和检测能力分析及分包情况详见仪器设备(标准物质)及其鉴定／校准一览表(见表 8-1)，检测能力分析与分包情况一览表见本篇第 1 章。

(3)仪器设备和标准物质的购置、验收、流转应符合《仪器设备的控制与管理程序》和《标准物质的管理程序》。

(4)对于某些使用频次低、价格昂贵，以及特种项目所需的仪器设备，可以租／借用他人仪器设备，但必须对该租／借用单位的资质进行认定，以保证租／借用的仪器设备符合《评审准则》规定的要求。

(5)使用未定型的专用检测仪器设备，应有相关技术单位的验证或鉴定证明。

表 8-1 仪器设备(标准物质)及其鉴定／校准一览

监测项目参数名称	标准条款／检测细则编号	仪器设备名称、型号／规格	技术指标		制造单位	检定／校准机构	有效日期	自检／校项目	自检／校规范名称及编号	备注(比对情况)
			测量范围	准确度等级／不确定度						

8.4 仪器设备的使用、维护和保养

8.4.1 仪器设备的使用

(1)仪器设备和标准物质使用前应建立相应操作规程、使用规定，并放置在仪器设备附近，便于查阅，应明确使用、保管和维护责任人。

(2)操作人员应持证上岗，并严格遵守操作规程。

(3)操作人员在仪器设备使用前、后应及时填写使用记录，注明仪器设备使用前、后状态，发现异常现象应立即停止检测并向实验室负责人报告，同时按《仪器设备的控制与管理程序》对仪器设备进行分析处理。

(4)对涉及安全的仪器设备，操作时应有必要的隔离措施和警示标志。

(5)仪器设备的使用见《仪器设备的控制与管理程序》，主要仪器设备的操作规程参见相关仪器设备的作业指导书。

(6)利用外部仪器设备开展检测工作，其检测仪器设备应符合《评审准则》规定的要求和本手册及其程序文件的相应要求，并应按《实现测量可溯源程序》进行确认。

8.4.2 仪器设备的维护保养

(1)监测中心所有投入使用的仪器设备均应及时得到维护保养，各实验室应根据仪器设备的特点，制定相应的维护保养规程，由责任人按《仪器设备的控制与管理程序》对仪器设备进行日常维护保养，以便保证设备的完好率和准确度。

(2)如果仪器设备出现过载或使用处置不当、显示结果可疑、通过检定／校准或其他方式表明有缺陷，须立即停止使用，贴上“停用”标记，在可能的条件下移至规定的地方，以防误用。

(3)需维修的仪器设备由各实验室填写《仪器设备维修申报单》，交仪器设备管理人员核对，经中心主管主任审核后，按《仪器设备的控制与管理程序》维修。结束后，填写仪器设备维修单(仪器设备维修申报单、维修单见《仪器设备的控制与管理程序》)。

(4)修复的仪器设备须经重新检定／校准(包括自检)或验证合格，证明满足《评审准则》规定的要求后，方可再投入使用。

(5)实验室应对因仪器缺陷而造成影响检测结果进行检查，应追查由于这种缺陷对过去检测的影响，应对已检测的结果进行重新评定。具体按《出现意外时的反馈和纠正措施程序》执行。

8.5 标准物质的管理、维护和保养

(1)业务管理室负责标准物质(标样)的管理，并将其存放在符合规定要求的环境里。

(2)应使用有证标准物质，并保证使用时是在有效期内，过期不得使用。若质量发生变异或超过保质期则应报废。

(3)标准物质(标样)的管理见《标准物质的管理程序》。

8.6 仪器设备的标识

(1)监测中心的每台仪器设备都应贴上统一的、明显的、唯一的标识，表明其检定／

校准状态或验证状态。

(2)检测仪器设备分合格、准用和停用三种状态管理，状态标识采用“绿”、“黄”、“红”三色统一标志，标识方法见《仪器设备的控制与管理程序》。

8.7 仪器设备和标准物质的档案

监测中心的仪器设备或对检验有重要意义的标准物质的档案由仪器设备管理人员和标准物质管理人员分别统一保管，归档内容及存放要求见《记录与档案管理程序》、《仪器设备的控制与管理程序》。

8.8 相关文件

(1)《仪器设备的控制与管理程序》(×××××—CX—12—××××)。

(2)《实现测量可溯源程序》(×××××—CX—14—××××)。

(3)《标准物质的管理程序》(×××××—CX—13—××××)。

(4)《出现意外时的反馈和纠正措施程序》(×××××—CX—05—××××)。

(5)《记录与档案管理程序》(×××××—CX—23—××××)。

(6)《水环境监测中心仪器设备操作规程》。

第 9 章　量值溯源和校准

9.1 概　述

凡对检测结果的准确性和有效性有影响的检测仪器设备，在投入使用前、维修后和在规定的检定周期内必须经过法定部门检定／校准或验证，合格后方可使用。检定、校准应能溯源到国家计量基准，并有检定／校准证书或校验记录和报告。

9.2 职　责

(1)仪器室负责对所有在用仪器设备进行周期性的检定／校准或验证工作，并应制定所有在用仪器设备周期检定／校准或验证的计划。

(2)档案管理人员负责整理、保存仪器设备检定证书、自校设备校验报告及有证标准物质的使用证书。

9.3 检定和校准要求

(1)仪器室应对所有在用仪器设备制定一个周期检定／校准或验证总体计划，经监测中心主管主任批准后组织实施。

(2)监测中心仪器设备应送经授权的计量检定部门进行检定／校准。

(3)凡自校的仪器设备必须按批准的仪器校验方法进行。本中心部分自校的仪器设备按《水环境检测仪器与试验设备校(检)验方法》(SL144—95)进行校验；对没有行业统一校验方法的由仪器室指定专人编写，编写的校验方法须经技术负责人确认后使用。校验方法的编写格式按《国家计量检定规程编写规则》(JJF1002—1998)编写，同时校验方法需报主管部门计量办公室备案。

(4)校准证书应能证明溯源到国家计量基准，并应提供测量结果、有关测量不确定度和(或)符合经批准的计量规范的说明。凡借用现场检测仪器的，应检查其检定／校验证书的合法性，并检查其是否在有效期内。

(5)监测中心所购买的有证标准物质在有效期限内只用于校准和对检测人员的技能考核，不作其他目的。

(6)测量参考标准的校准工作应由能提供对国家计量基准溯源的机构进行。应编制参考标准进行校准和检定的计划。计量检定用最高计量标准必须按《中华人民共和国计量法》的相关规定经考核且考核合格。

9.4 量值溯源

(1)仪器室按照相应的计量检定规程提出计量参考标准(器具)周期校准和检定送检计划，经监测中心主管主任批准后送能溯源到国家计量基准认可的机构进行检定／校准。

(2)所用的计量参考标准(器具)由专人保管、使用且只可用于检定／校准，不能移作它用。

(3)非标准设计的专用检测设备和国家计量部门尚不能检定／校准的仪器设备，监测中心要求有证据证明它的测量结果的质量及可信度符合要求后，方可用于检测。本监测中心对这类设备自编校验方法定期检验。

(4)仪器设备检定／校准和验证具体实施见《实现测量可溯源程序》。

(5)计量器具检定(自校)量值传递溯源见图 9-1。

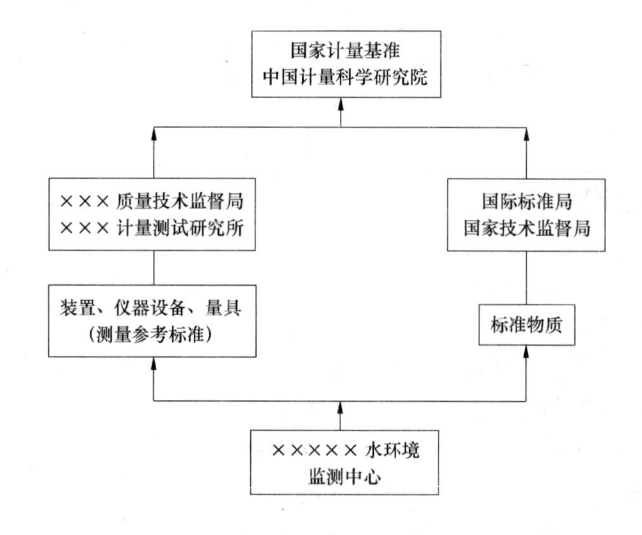

图 9-1　计量器具检定(自校)量值传递溯源

9.5 运行检查要求

(1)监测中心应在计量器具前后两次检定期间进行中间检查，检测使用的仪器设备应在检测前、检测后分别对其进行检查／校准，检查／校准情况填入《仪器设备使用记录表》，使在用计量仪器设备始终处于合格状态。

(2)运行检查要有计划、有程序、有记录，发现偏离要及时纠正。

9.6 标准物质溯源

应使用能溯源到国家计量基准或溯源到国家或国际标准参考物质的有证标准物质(有效期内)，监测中心标准物质的使用见《标准物质的管理程序》。

9.7 相关文件

(1)《实现测量可溯源程序》(×××××—CX—14—××××)。

(2)《仪器设备的控制与管理程序》(×××××—CX—12—××××)。

(3)《标准物质的管理程序》(×××××—CX—13—××××)。

(4)《水环境检测仪器与试验设备校(检)验方法》(SL144—95)。

第10章　检测方法

10.1　概　述

监测中心进行检测工作的技术依据是国家、行业发布的标准、规程和规范，对直接影响检测质量的采样、验样、试样制备、仪器设备的使用和操作、检测工作、数据分析和质量判定等所有检测工作以及职责范围内的其他有关业务活动均应提供现行有效和便于使用的程序性文件和作业指导书，使整个检测过程始终处于受控状态，确保检测数据的代表性、准确性、可比性和公正性。

10.2　职　责

(1)监测中心业务管理室负责国家、行业现行有效的相关检测标准及检测方法的收集与管理，负责对检测标准、检测方法的有效版本实施控制。

(2)监测中心技术负责人负责非标准检测方法的审核和检测方法的批准。

10.3　作业指导书的编写

当标准、方法对在仪器操作使用、样品的制备和处置、检测工作程序等方面的说明尚不能准确指导检测工作时，应编制作业指导书来规范检测工作。

监测中心编制的作业指导书主要包括仪器设备的使用、操作、工作规程、样品采集与管理及现场检测作业指导书，校准和检测工作的实施细则或指导性文件。所有上述指导性文件、标准、手册和工作参考数据等应随时修订更新，必须保证所采用的标准、方法和作业指导书等为现行有效版本。这些指导书应装订成册，每个工作人员均应容易得到所在岗位应遵循的程序文件或作业指导书，且能方便有效地使用。

10.4　标准方法的使用

在日常的监测工作中均应使用国家标准方法；对于个别没有国家标准方法的项目，应尽可能选择国际或国家标准中已经公布或由知名的技术组织或有关科技文献或杂志上公布的标准方法，但须经中心技术负责人确认后采用；也可采用委托方指定的企业检测标准方法，但在检测委托书和检验报告上应有明确的说明。检测项目、方法及相应标准见表 10-1。

表 10-1 检测项目、方法及相应标准一览

序号	项目名称	依据的标准名称、代号(含年号)	限制范围或说明

10.5 非标准方法的使用

在本监测中心计量认证批准的业务范围内，实验室采用非标准检验方法时，必须严格执行非标准检测工作程序。对委托样品的检测，使用非标准方法检测时应事先征得委托方的同意，并形成有效文件，出具的报告能为委托方和用户所接受。在制定并采用行业标准时，需经监测中心主任和技术负责人研究，并形成有效文件后方可使用。

10.6 抽 样

当抽样作为检测工作的一部分时，应按照相应的标准和适当的统计技术确定抽样数量和方法，具体按《抽样管理程序》执行。

10.7 检测数据的处理

对于检测数据的处理应执行《测量误差及数据处理》(JJG1027—1991)的规定，并应按相应标准进行资料整理，数据的计算和处理必须进行校核并签名。实验室应通过原始数据的校核、复核以及整、汇编对计算和数据换算建立校核程序，程序中规定需要校核而未经校核的计算和数据换算所得的结果一律无效。

10.7.1 数据有效位数取舍

数据的有效位数取舍执行有效位数使用法则。有效数字应与试验系统的准确度相适应，不足部分以“0”补齐。具体执行见中华人民共和国国家标准《数值修约规则》(GB8170—87)。

10.7.2 使用法定计量单位

所有检测数据必须按规定使用法定计量单位。对于有平行样的样品，其结果用平均值表示。

10.7.3 检测数据异常值的处理

对检测数据的异常值，首先进行操作检查，如属操作明显缺陷造成，则该数据不应保留，如有可能应重取多份样品测定，用下述原则判断是否为离群值，然后决定是否剔除。

(1)在标准差事先不知道时，如检验一个可疑值，应用格拉布斯(Grubbs)检验法；检验一个以上可疑值，用狄克逊(Dixon)检验法；检验多组观测值中精度较差的一组数据，用科克伦(Cochran)检验法。

(2)对比分析，用与原实验仪器准确度相同的仪器，对原项目进行再现性试验。若检测结果与数据相符，则证明此异常值是样品本身的干扰或污染造成的；若不相符，则证明此值是因仪器造成的，可以剔除。

数据处理具体按《数据控制程序》执行。

10.8 计算机或自动化检测设备的管理和使用

本监测中心采用计算机(包括设备自带的单片机)或自动化设备进行检测、数据采集、处理、运算、记录、报告、储存和检索时，应遵循以下原则。

(1)符合计量认证和监测中心有关规定的要求。

(2)计算机软件文件化、规范化，并能满足使用要求。

(3)对计算机和自动化设备要进行日常维护，以确保其功能正常，各实验室应提供能保证计算机和自动化设备正常运行所需温度、湿度等必需的环境和工作条件，以确保检测数据的完整性。发现问题应及时请维修人员进行修理和维护。

(4)建立和执行计算机数据完整性所必需的程序和安全保密程序，禁止非授权人员接触计算机，未经批准不得修改计算机记录。

(5)对计算机软件的开发、采购和应用，数据的输入、采集、储存、传输和处理等具体按《计算机及计算机软件管理程序》、《记录与档案管理程序》执行。

10.9 消耗性材料

本监测中心消耗性材料的采购、验收和贮存应分别由专人负责，按《外部支持服务和供应管理程序》的规定办理，应建立相应的台账以及保证消耗性材料的采购质量和安全贮存的规章制度。

10.10 相关文件

(1)《检测工作管理程序》(×××××—CX—03—××××)。

(2)《检验方法管理程序》(×××××—CX—15—××××)。

(3)《检测报告的编制和管理程序》(×××××—CX—25—××××)。

(4)《外部支持服务和供应管理程序》(×××××—CX—27—××××)。

(5)《抽样管理程序》(×××××—CX—20—××××)。

(6)《数据控制程序》(×××××—CX—16—××××)。

(7)《记录与档案管理程序》(×××××—CX—23—××××)。

(8)《样品的管理程序》(×××××—CX—19—××××)。

(9)《计算机及计算机软件管理程序》(×××××—CX—17—××××)。

第 11 章　样品管理

11.1　概　述

检测样品的代表性、有效性和完整性将直接影响检测结果的准确度，因此必须对样品的接收、流转、贮存、处置等各个环节实施有效的质量控制。确保接收的样品满足检测要求，确保样品在实验室内流转期间标识清晰、可追溯，确保样品在贮存、制备和处置过程中不变质、不遗失或损坏。

11.2　职　责

(1)实验室负责对检测过程中的样品实施管理。

(2)样品管理员负责样品的统一接收、发放、保管、处置。

(3)业务管理室负责委托检测样品的接收。

(4)中心质量负责人和各实验室质量监督员负责对样品的处置进行监督。

11.3　样品的接收和识别

(1)在接收样品时，应有表明其状态的详细记录，如委托单位、样品状态(包括外观、颜色、气味、形状、完整性)等，表明其是否与相应的检测方法中所描述的试样状态有所偏离。如有异常或与提供的说明不符，收样人员应详细询问委托方，并在《委托检测协议书》和《检测样品流转卡》上予以记录。同时应与委托方商定样品准备和检测完毕样品处理方式。检测工作开始前，实验室应确认样品是否按检测标准要求(包括委托方的要求)完成了必要的准备工作。

(2)常规检测样品由实验室样品管理员负责接收。

采样人员将样品和采样通知单即样品情况交给样品管理人员，实验室样品管理人员接到样品后，应如实记录核对样品的类型、名称、样品状态(包括外观、颜色、气味等)，如有异常或偏离实验规程中规定的标准状态时应加以注明。根据样品对贮存的要求分别有序地处置和存放，存放环境应符合样品的保管要求和使用说明书的要求。

(3)委托检测的样品接收由业务管理室负责，在接收委托方送检样品时，应根据委托方的检测需求，认真清点样品，并按要求填写“检测委托书(协议)”，由综合室审核签章生效，业务管理室根据“检测委托书(协议)”填写“检测任务通知单”并下发质控措施，将样品和“检测任务通知单”以及质控措施通知移交实验室。

(4)如果对样品是否适用于检测有疑问，样品与提供的说明不符，或者对要求的检测规定得不完全，实验室在工作开始之前应询问委托方，要求进一步予以说明，并取得共识。如果样品必须在特定的环境条件下贮存或处置时，应对这些条件加以维持、监控和记录。

(5)各实验室应对每个拟检测样品建立保持唯一性识别系统，应由专门的人员对样品进行登录，将有关样品的各种信息输入计算机。对样品进行编号，样品编号应是唯一的，以保证在任何时候对样品的识别不发生混淆。

(6)送检样品传递或送达实验室后，应详细查看、记录样品状态，查看采样单或流转卡与样品状况的相符情况。对以封装方式送达的样品，应检查封签是否有效及运输过程有无损坏，必要时应会同采样人员进行验收。

(7)根据样品所处的检测状态，分别贴“测试样品”、“保留样品”标签加以识别(标签上应有实验室编排的识别号)。样品在不同检测状态或所处制备、流转、贮存过程，都应做好标识的管理工作，以保持样品识别的唯一性和可追溯性。

11.4 样品的处置

实验完毕后，样品管理员对样品进行清理，样品保留样的保留时间不得少于检测报告的申诉期限(15 天)。

11.5 样品的保密与安全

(1)实验室应有专门的样品间对样品进行接收和贮存，样品间的管理应由实验室指定的样品管理员进行管理，做到整齐、有序、不混杂等。

(2)未经允许不能随意进出样品间，不得向无关人员泄露委托方样品的秘密。

(3)对外来需要担保的样品，应根据客户的要求做出相应的安排，包括样品接收、贮存、处置的管理，应采取安全防护措施，保护样品的完好性和机密性。

上述所有条款具体按《样品的管理程序》执行。

11.6 相关文件

(1)《样品的管理程序》(×××××—CX—19—××××)。

(2)《保护委托人机密信息和所有权程序》(×××××—CX—24—××××)。

(3)《水环境监测规范》(SL219—98)。

第12章 记 录

12.1 概 述

为了给控制检测结果的质量提供真实、完整、准确的客观证据，确保所有记录都能得到安全贮存、妥善保管，并能为委托方保密，所有人员应严格执行本监测中心的记录制度，各科室分别负责职责内相关工作记录，并应及时整理、妥善保管。

12.2 记录的内容

记录是指监测中心在质量体系运行中的质量管理性记录和在检测过程中的技术性记录。记录包括质量审核、评审记录，样品的接收和处置、样品的准备和原始检测记录，计算和导出数据记录，检验证书副本，检测报告副本，仪器设备购置、检定／校验和使用记录，玻璃器皿和药品试剂的购置、入出库记录，档案资料的管理记录等。

12.3 记录的填写和审核

准确、清晰、完整、如实地记录调查数据是通过数据加工处理得到正确结果的基础，各种调查数据必须按照调查设计要求收集填写。测定数据在准确无误地记录原始数据的同时，应详尽地记录测定条件，要按分析方法或测定仪器的有效位数如实记录原始数据。填写原始记录应符合以下要求：

(1)记录是监测中心进行检测行为的如实记载，不得弄虚作假，不允许随意涂改，更不允许删除。

(2)检测记录是出具检测报告的依据，是最主要的检测过程记录。为了保证能再现检测活动的全部过程，记录应包含足够的信息。

(3)检测记录格式执行《水环境监测规范》(SL219—98)所规定格式。原始记录要有记录填写人、校核、复核等人员签名，签名不能用印章代替。原始记录发现错误，要有记录填写人修改，校核、复核等人员不能代为修改。

(4)所有的检测记录书写时应使用黑色钢笔或签字笔，填写完整，字迹清晰，内容真实，不得漏记、补记、追记、任意涂改；必须改正时，应在原数据上画一横线，再将正确数据填写在其上方，加盖记录者印章，不得涂擦、贴补。

(5)检测过程中所发生的问题和异常现象，应在备注栏内注明。检测工作完毕，应及时进行合理性审查，及时处理异常数据，决定是否复测。

(6)记录中有参与抽样、样品准备和检验人员签名，必须经他人复核，有检测、复核人员签署姓名及日期方为有效。

(7)所有记录均要保存良好并归档，便于查阅，防止丢失和损坏。

(8)所有记录的保存期一般不少于一个评审周期。当记录有追溯性意义或有改进工作参考价值或作为修改质量体系文件依据时，应进一步延长其保存期限。仪器设备档案记录应保存至该仪器设备报废或注销。

(9)所有记录具体按《记录与档案管理程序》执行。

12.4 记录的管理

业务管理室负责技术性记录、质量记录的收集、整理，并交档案管理员统一保管，实验室每年整编后的成果资料(包括磁盘、光盘等)交业务管理室永久保存，正副本异地存放。

对于管理类记录，如内审、反馈等，一般其保存期不少于一个评审周期(即 5 年)，当记录有追溯性意义或有改进工作参考价值或作为修改质量体系文件依据时，应进一步延长其保存期限。对于技术性记录，如检测记录、报告等，如无特殊规定，其保存期限为 5 年。仪器设备档案记录应保存至该仪器设备报废或注销。所有记录的销毁应按有关规定，经监测中心主任批准后实施。具体按《记录与档案管理程序》执行。

监测中心在档案室设专柜保存管理类文件及记录、质量记录、委托书／协议书、检测过程的原始记录、仪器设备检定／校准证书、检测报告副本等，做到安全贮存，并为委托方保密。未经中心主任／技术负责人的许可，不得任意查阅、借阅、复制和外借。

利用计算机管理的记录，应同时存入软盘保存，并定期刻录成光盘存档。

12.5 相关文件

(1)《记录与档案管理程序》(×××××—CX—23—××××)。

(2)《保护委托人机密信息和所有权程序》(×××××—CX—24—××××)。

第 13 章　证书和检测报告

13.1　概　述

确保本监测中心客观、准确、清晰、完整地出具检测报告和自校证书，保证检测报告所包含的信息符合《评审准则》、客户、检测方法规定和说明检测结果所必需的要求。

13.2　职　责

(1)检测／校准人员负责及时、准确、完整地提供检测／校准报告所需的原始检测／校验结果。

(2)审核人员负责审查检测／校验报告中检测数据的技术符合性和有效性。

(3)签发人员负责检测／校验报告的正确性、合法性审核并签发。

13.3　检测报告的编写原则

检测报告是管理决策的重要依据，在编写时应遵循以下五个方面的原则。

(1)准确性原则。首先是要给人们提供一个确切的水环境质量信息，同时，检测报告必须实事求是、准确可靠、数据翔实。

(2)及时性原则。监测数据具有很强的时效性，因此必须建立和实行切实可行的报告制度，运用先进的技术手段，确保监测数据的时效性。

(3)科学性原则。检测报告不仅仅是数据的汇总，必须运用科学的方法和手段，提供为说明检测结果所必需的各种信息以及采用方法所要求的全部信息。

(4)可比性原则。检测报告的表述应统一、规范，内容、格式应遵循统一的技术规定和评价标准。

(5)社会性原则。检测结果的表达要使读者容易理解，容易被社会各界接受和利用。

13.4　证书和检测报告的内容与要求

按照不同的监测目的和管理需要，编制不同的检测报告。要根据《评审准则》的各项规定，合理地编制清晰、明确、有足够信息量的标准化格式的证书和检测报告。报告的封面、扉页和首页应按中心统一规定的格式认真填写，检测数据应按相应标准、规范规定的方法进行资料整理，要求方法正确、计算无误、填写完整、签名齐全、字迹清晰。

(1)标题，如“××××检测报告”。

(2)监测中心的名称与地址，进行检测的地点(与实验室地点不同时)。

(3)检测报告的唯一性标识(如序号)和每页及总页数的标识。

(4)委托方的名称及地址。

(5)被检测样品的说明和明确标识，包括样品的特性、状态，以及接收和检测日期。

(6)检测样品的接收和检测日期。

(7)采用的检测方法标准，特别是采用非标准方法时应明确地说明。

(8)检测环境条件等与相应检测方法标准规定有偏离、增加或减少以及其他任何与特定的检测有关的信息。

(9)检测、检查和导出的结果(适当地辅以表格、图、简图和照片加以说明)，以及对结果失效的证明。

(10)当合同内容有要求时，对估算的测量不确定度应予以说明。

(11)对检验证书或检测报告内容负责人员的签字、职务或等效标识，以及签发日期。

(12)对于送样检测，应注明本结果仅对来样有效的说明。

(13)未经中心书面批准，不得复制检验证书或报告(完整复制除外)的声明。

13.5 分包检测表述

检验证书或报告中包含分包单位所进行的检测结果时，应在备注栏内注明分包检测的项目和分包检测单位。

13.6 检测报告的更改

当已向委托方发出的检测报告要作重大修改时，应另外颁发一份对编号××××检测报告的修改报告或补充报告，将原报告收回销毁，并办理登记手续。当无法将原报告收回时，应发表声明或发出编号××××报告的检测数据修改单作为补充，并取得相应委托方收到声明或修改单的回执，归档以备查。

当发现诸如检测仪器设备有缺陷等情况时，实验室应对以往的检测数据和检测报告进行追溯，如对已发出的检测报告或检测报告的修改单的有效性产生怀疑，监测中心应立即以书面的形式通知委托方，并留下委托方已得到通知的记录。

13.7 检测报告的发送

在委托方要求的情况下可以采用电话、电传、图文传真或其他电子和电磁设备传送检测结果和数据，但并不免除正式检测报告的正常发送，并且在报告中应注明已进行了其他的发送形式与内容，同时要执行实验室质量体系管理程序文件的程序，其中包括发送依据、批准人签名、发送内容、发送日期、发送形式、发送人签名、委托方接收人等，发送的原件应归档。不论采用什么方式发送，都应保证发送内容的保密。

13.8 检测报告的管理

(1)根据不同的检测内容，针对有关要求，建立各类检测报告的编写格式，明确各类报告的编写内容及质量要求。

(2)严格保存管理，由业务管理室负责各类检测报告的编写和保存归档工作，并对各类报告的保存期限做出规定。

(3)各类检测报告均实行四级审验制度，审验人员的职责见本篇第 6 章。

(4)严格借阅管理制度。

13.9 相关文件

(1)《检测报告的编制和管理程序》(×××××—CX—25—××××)。

(2)《保护委托人机密信息和所有权程序》(×××××—CX—24—××××)。

第 14 章　检测工作的分包

14.1　概　述

在现有资源无法 100%满足检测要求的情况下，可将检测样品的一小部分项目分包给外单位实验室进行检测，以满足客户需求。

14.2　分包原则

(1)监测中心分包的项目比例必须予以控制，其分包项目仅限于仪器设备使用频次低、价格昂贵及特种项目。

(2)分包方应是通过省级以上政府计量行政主管部门计量认证和审查验收，且检测能力满足分包要求的监测机构。具体按《检测项目分包程序》执行。

(3)在分包前，应由内审员对分包方的能力和资格进行审核，并由中心负责人以书面形式予以确认。

(4)在实施分包前，应将分包的检测参数以书面形式通知委托方，并经委托方书面同意方可分包。

(5)当确定检测项目分包后，监测中心应与分包方签订分包协议，内容包括分包项目名称、设备和标准物质、检测方法、检测时限、报告形式和保密要求等，双方应认真履行分包协议。

(6)分包方发生仪器设备、人员配备、环境条件重大变化或质量体系变更时，监测中心应及时重新对分包方进行评审，确定其是否仍然符合分包要求。

(7)监测中心应记录并保存对分包方的能力和符合要求的调查资料。资料、分包合同协议应完整齐全，应有充分有效证明分包方能力的证据。具体按《内部质量体系审核程序》、《记录与档案管理程序》、《数据控制程序》执行。

14.3　相关文件

(1)《检测项目分包程序》(×××××—CX—26—××××)。

(2)《内部质量体系审核程序》(×××××—CX—07—××××)。

(3)《记录与档案管理程序》(×××××—CX—23—××××)。

(4)《数据控制程序》(×××××—CX—16—××××)。

第15章 外部支持服务和供应

15.1 概 述

确保外部支持服务和供应有质量保证并符合检测工作要求。

外部支持服务和供应包括标准物质采购、试剂药品采购、仪器设备采购三方面。

中心主任负责外部支持服务和供应计划及外部供应文件的审批；主管副主任负责组织外部支持服务和供应计划的制定，及合格供应方的评定；各科室负责各自职责范围内的外部支持服务和供应的管理。

15.2 对外部支持服务和供应机构的评价选择

(1)应充分了解外部支持服务和供应方的信誉度、产品质量、性价比及售后服务情况，选择信誉高、质量可靠、供货渠道稳定的供应方。

(2)应按照服务和供应的类型，组织对外部支持服务和供应方的质量保证体系进行评价，并保存评价的记录，建立合格供应方名单。外部支持服务和供应机构的评价由综合室及相关处室共同参与。

(3)为确保新购置的供应品符合规定的要求，应严格按照《外部支持服务和供应管理程序》对其进行必要的核验或检查，证实符合要求后方可投入使用，并保存相关记录。

15.3 质量保证措施

(1)各室要对所需采购物品的要求编制采购文件，提出采购申请，按控制程序规定，经负责人审批后，由指定人员进行采购。

(2)综合室组织对采购的物品进行验收(验证)，对于计量器具应通过检定／校验合格后才能投入使用，对于可能影响检测质量的消耗性材料，如化学试剂等必须按规程、规范规定进行检验后才能使用。

(3)每年应根据服务和供应的情况对供应商进行重新评价，以确定是否修订合格供应商名单。

15.4 相关文件

《外部支持服务和供应管理程序》(×××××—CX—27—××××)。

第16章 抱 怨

16.1 概 述

在开展所有检测活动的过程中，要充分重视来自客户或其他方面的抱怨，认真对待，正确处理，完善质量管理体系，维护信任和权威。

业务管理室负责对抱怨的接收，质量负责人组织实施对委托人抱怨的处理。

16.2 抱怨的处理

(1)质量负责人负责受理来自委托方的抱怨，组织实施对委托人抱怨的处理。

(2)业务管理室负责抱怨(申诉)的接收。

(3)业务管理室收到有关委托人抱怨的信息后，接收人用书面方式记录详细的抱怨情况，记录后的文件交由质量负责人实施处理。遇到较严重的抱怨时，质量负责人应将情况向中心主任汇报。

(4)质量负责人应对抱怨的内容和要求进行分析，研究引起抱怨的因素和答复委托人的合理方式。

(5)当抱怨涉及到检测报告和数据时，质量负责人应组织检查，检查应执行《数据控制程序》。

(6)当抱怨涉及到人员职责或中心的质量方针和程序，质量负责人应及时制定内审计划，按照《内部质量体系审核程序》开展对中心有关人员职责或质量方针和程序的审核。

(7)如内审问题涉及到中心的质量方针或质量体系的结构时，质量负责人应尽快将内审结果报中心主任，由中心主任实施对质量体系的管理评审。管理评审应执行《管理评审程序》。

(8)必须保存所有抱怨(申诉)和处理的书面意见，保存期为一个周期(5 年)，所有处理抱怨(申诉)结果向中心主任汇报。

16.3 抱怨出现后应进行审核的情况

当抱怨内容或其他任何事项涉及到中心的检测活动是否符合质量方针和目标，或者是否符合《评审准则》要求，或者是对其他有关实验室检测质量提出疑问时，应按《内部质量体系审核程序》对抱怨涉及的范围和职责进行审核。

接到抱怨后，由质量负责人负责召集有关科室召开会议，制定切实可行的计划，进行原因调查和问题的分析，并通知检测人员进行复测。复测结论报业务管理室，业务管理室对结论进行分析评估，提出评审建议，报中心主任审定。

16.4 相关文件

(1)《处理抱怨程序》(×××××—CX—28—××××)。

(2)《数据控制程序》(×××××—CX—16—××××)。

(3)《内部质量体系审核程序》(×××××—CX—07—××××)。

(4)《管理评审程序》(×××××—CX—08—××××)。

第三篇
程 序 文 件

×××××水环境监测中心质量体系文件

程 序 文 件

(第1版)

文件编号：×××××—CX—××～××—××××

编 制 人：

校 核 人：

审 核 人：

批 准 人：

发布日期：××××年××月××日

×××××水环境监测中心质量体系文件

程 序 文 件

程序文件编号：×××××—CX—××～××—××××

程序控制状态：受 控 □ 非受控 □

程序持有者姓名：

持有者接收日期： 年 月 日

分 发 号：

××××年××月

程序文件颁布令

本监测中心依据《质量手册》(第3版)编写了《程序文件》(第1版)，经中心主任办公会批准现予以颁布。本《程序文件》自××××年××月××日起实施。

《程序文件》是《质量手册》的支持性文件，明确规定了保证质量体系有效运行的活动方法和措施，本监测中心的一切质量活动必须执行《程序文件》，以实现“以质量为中心，以程序化和文件化管理为前提，确保方法科学、行为公正、数据准确、客户满意”的质量方针。

中心主任 (签名)

××××年××月××日

文件 1　质量计划的编制和审批程序

1 目　的

为按时实现质量目标所规定的各阶段任务，特编制本程序。

2 适用范围

本程序适用于监测中心特定项目或合同，规定专门的质量措施、资源和活动顺序。

本程序文件包括以下各项质量计划：

(1)检测任务计划。

(2)人员培训计划。

(3)内部审核计划。

(4)管理评审计划。

(5)量值溯源计划。

(6)仪器设备及标准物质采购计划。

(7)仪器设备的维护计划。

(8)质量控制计划。

(9)开展新项目的评审计划。

(10)外部条件供应计划。

3 职　责

3.1 监测中心主任

监测中心主任组织制定审批以下计划：

(1)审批检测任务计划。

(2)组织制定管理评审计划。

(3)对所有质量计划进行审批。

3.2 监测中心副主任

监测中心副主任组织制定以下计划：

(1)人员培训计划。

(2)量值溯源计划。

(3)仪器设备和标准物质采购计划。

(4)仪器设备的维护计划。

(5)外部条件供应计划。

3.3 技术负责人

技术负责人组织制定以下计划：

(1)开展新项目的评审计划。

(2)维护本文件的有效性。

3.4 质量负责人

质量负责人组织制定以下计划：

(1)内部审核计划。

(2)质量控制计划。

4 程 序

4.1 检测任务计划

4.1.1 监测中心主任负责组织制定检测任务计划，由业务管理室负责制定年度各项检测工作任务计划，计划内容主要包括监测断面、监测参数的确定，监测频次、完成时间的确定，检测的依据和标准，以及检测工作具体技术要求等。

4.1.2 制定后的检测任务计划应组织监测中心有关技术人员和实验室负责人进行可行性讨论，由监测中心主任组织审核。

4.1.3 审核后的检测任务计划报上级有关部门批准后下发实验室执行。

4.1.4 需要签订合同的检测工作，由技术负责人组织有关人员对合同草案进行评审，评审后的合同由监测中心授权人与委托人签订正式的检测合同。

4.2 人员培训计划

监测中心主管副主任负责组织，综合室根据监测中心的检测任务、检测标准、仪器设备及人员变动等业务发展需要，适时制定出对人员进行培训、考核的计划。内容应包括培训负责人、培训对象、培训内容、授课老师、要求达到的目的、考核方式、培训时间和地点，计划制定后应报监测中心主任批准。

4.3 内部审核计划

质量负责人应根据年度审核任务和特殊质量活动要求组织制定内部审核计划。计划内容包括审核的对象、审核的要素、审核的时间安排及内部审核的参加人员。内审计划制定后报技术负责人审核，监测中心主任审批。

4.4 管理评审计划

监测中心主任根据内部审核的结果和委托人对监测中心的抱怨及要求，组织管理评审，业务管理室制定管理评审计划。管理评审计划内容包括评审的目的、时间安排、参加的人员、评审文件的准备等。

4.5 量值溯源计划

4.5.1 量值溯源计划由监测中心主管副主任负责组织，仪器设备及标准物质管理人员提出计划。管理人员应对监测中心用于检测和环境监控的仪器设备及玻璃量器制定详细的量值溯源计划，计划内容包括需要检定／校准的仪器设备、量器的名称，需要校准的量值范围，校准(结果)不确定度的要求，检定／校准的周期，下一次检定／校准的连接时间，检定／校准的服务机构及机构的资质。

4.5.2 对无法溯源的测量量值安排自检和检测能力验证。

4.5.3 保管、使用仪器设备及标准物质和量器的各相关科室负责人，对溯源结果是否达到使用要求在规定的有效期内进行确认。

4.5.4 量值溯源计划由仪器设备及标准物质管理人员提出，经监测中心副主任审核后报监测中心主任批准实施。

4.6 仪器设备及标准物质采购计划

根据本监测中心检测能力的维护和开发工作的需要，由综合室组织实验室和业务管理室制定出仪器设备及标准物质的采购计划，计划内容包括采购仪器设备及标准物质的技术要求、生产厂商、价格预算、采购方式及渠道、要求供货时间、人员培训内容及方式、验收方式、采购负责人等。制定后的采购计划报技术负责人批准实施。

4.7 仪器设备的维护计划

监测中心仪器室对实验室使用和保管的仪器设备制定出完整的仪器设备维护方式，并依据仪器设备的使用频率确定仪器设备的维护计划。仪器设备的维护计划由监测中心实验室负责监督实施。

4.8 质量控制计划

监测中心技术负责人组织制定检测能力验证或比对年度计划，计划制定后经监测中心主任批准方可组织实施。

质量负责人制定监测中心年度常规检测质量控制计划。计划制定后经中心技术负责人审核、监测中心主任批准方可组织实施。

计划内容包括确定验证或比对的项目、检测方法、参加的实验室和人员，以及常规质量控制的时间、项目等。

4.9 开展新项目的评审计划

4.9.1 业务管理室根据检测工作领域的扩大和不断发展，负责制定扩展检测能力的计划。计划内容包括检测新项目的仪器设备的增添量、环境条件的要求、人员技术水平的培训、新的检测方法的确定、质量体系的扩展、检测文件的准备、检测报告的形成等。计划制定后经监测中心主任批准，由技术负责人组织实施。

4.9.2 通过评审后的新项目，由技术负责人组织向中国实验室国家认可委员会申请监测中心检测能力的扩项认可。

4.10 外部保障条件供应计划

综合室组织制定外部保障供应计划，由各科室根据业务和管理任务，提出保障条件的年度需求计划，计划内容包括需要条件的类型、规格型号、数量、提供时间与方式，各室的计划经物资管理人员汇总、监测中心负责人共同讨论审核、中心主任批准后，各科室按采购要求分别实施。

5 相关文件

(1)《员工培训与考核程序》(×××××—CX—09—××××)。

(2)《检测工作管理程序》(×××××—CX—03—××××)。

(3)《检验方法管理程序》(×××××—CX—15—××××)。

(4)《检测报告的编制和管理程序》(×××××—CX—25—××××)。

(5)《外部支持服务和供应管理程序》(×××××—CX—27—××××)。

(6)《记录与档案管理程序》(×××××—CX—23—××××)。

(7)《内部质量体系审核程序》(×××××—CX—07—××××)。

文件 2　质量体系文件控制和维护程序

1　目　的

质量体系文件是指导检测和管理活动的依据，为对文件的编制、批准、发放、使用、保存等进行控制，确保文件的现行有效和保密，特编制本程序。

2　适用范围

适用于本监测中心及各部门与质量体系有关的文件控制和维护管理。

3　职　责

3.1　中心主任

(1)审批并颁布《质量手册》和《程序文件》。

(2)组织管理办法与制度的编制。

3.2　质量负责人

(1)组织《质量手册》、《程序文件》的编制。

(2)负责维护《质量手册》、《程序文件》的有效性。

3.3　技术负责人

组织技术文件及其他质量文件的编制。

3.4　业务管理室

(1)负责《质量手册》和《程序文件》的统一管理、编号、登记、发放。

(2)负责本监测中心外部文件(包括标准、规程、规范、法规等)的收集和管理。

4　程　序

4.1　质量体系文件的层次

4.1.1　第一层次为《质量手册》，是阐明监测中心的质量方针并描述质量体系的文件。

4.1.2　第二层次为《程序文件》，是规定实验室质量活动程序、方法和要求的文件，是《质量手册》的支持性文件。

4.1.3　第三层次为检测工作作业指导书，包括检测方法、检测记录表格、报告、检测规范等。

4.2　质量体系文件的编制与颁布

4.2.1　监测中心质量负责人组织第一层次、第二层次文件的编制，研究确定各层次文件格式、内容的统一编写，建立各质量体系文件之间的衔接关系。

4.2.2　监测中心技术负责人组织第三层次文件的编制，确定文件格式及内容的统一编写。

4.2.3 监测中心主任审批和颁布第一层次、第二层次和第三层次文件。

4.3 质量体系文件的修订和维护

4.3.1 第一层次、第二层次文件由监测中心质量负责人根据文件运行中出现的问题安排修订，并维护其文件的有效性。

4.3.2 第三层次文件由监测中心技术负责人根据检测能力的要求组织修订，并维护其文件的有效性。

4.4 质量文件的分发

4.4.1 业务管理室资料档案管理员建立所有文件、资料的账目及明细。文件的收发、复制、归档均应统一编写，并有责任人签字。

4.4.2 业务管理室建立保存有效的文件发放清单，防止使用失效的文件，使下发的文件时时处于受控状态。

4.5 质量体系文件的替换和更改

4.5.1 业务管理室负责文件资料有效性的确认，并负责跟踪标准或规程的最新出版信息。

4.5.2 技术负责人负责批准新技术文件的使用，更改后的技术文件由业务管理室登记后下发使用。

4.6 质量体系文件的停用和淘汰

4.6.1 要求停止使用的文件经技术负责人批准后，由业务管理室资料档案管理员回收注销；

4.6.2 过期作废的文件资料从业务管理室、实验室收回后，为防止误用，要盖上“作废”标识，以示区别，尤其是在合订的有关分析方法标准中应予以标明。

4.7 质量体系文件的保管及归档

4.7.1 质量体系文件的归档应同时满足《记录与档案管理程序》的有关规定。

4.7.2 质量体系文件应安全贮存，防潮、防火、防虫、防遗失，编号登记保管。

4.7.3 监测中心人员借阅文件资料应办理借阅手续，外单位人员借阅应经监测中心主任批准。

4.7.4 业务管理室存档的国家标准和行业标准原件，原则上不外借，借阅者可向资料档案管理员提出所需文件名，确需用时仅供复印使用。

4.7.5 质量体系文件至少保存一个评审周期(5 年)，超过期限的档案资料，由业务管理室资料档案管理员与本室负责人商议列出销毁清单，由技术负责人审核，书面报告监测中心主任批准后在监督下销毁。

4.8 文件的保密

4.8.1 监测中心保密文件的管理，执行《保护委托人机密信息和所有权程序》。

4.8.2 需要保密的文件应由资料档案管理员专柜保管；保密文件的借阅应向监测中

心主任提出申请，得到批准后在资料档案管理员的监督下查阅，查阅的资料不得带离资料室。

4.8.3　所有受控的质量体系文件的所有权和著作权归本监测中心所有，未经监测中心主任同意，任何人不得私自向外人借出，不得转抄和复印。

4.9　质量体系文件的编号

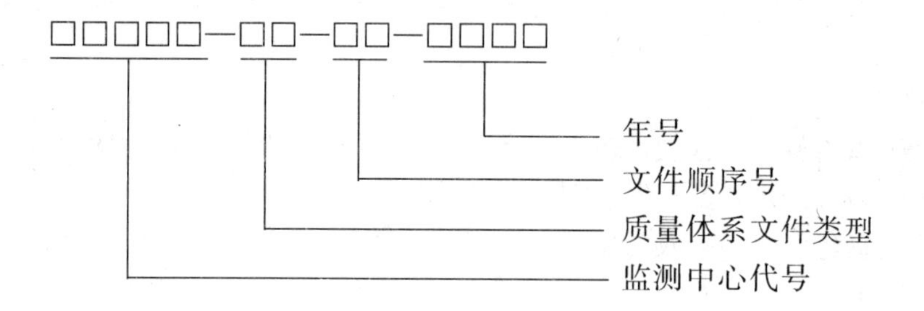

质量体系文件分类代号见表2-1。

表2-1　质量体系文件分类代号

分类代号	SC	CX	ZD
文件名称	质量手册	程序文件	作业指导书

5　附表及相关程序文件

(1)文件发放登记表见表2-2。
(2)质量体系文件控制目录见表2-3。
(3)文件销毁清单见表2-4。
(4)《记录与档案管理程序》(×××××—CX—23—××××)。
(5)《保护委托人机密信息和所有权程序》(×××××—CX—24—××××)。

表2-2　×××××水环境监测中心文件发放登记表

文件编号：×××××—CX—02—××××(No.1)

日期	文件名称	文件编号	部门或人员	分发份数	分发人	批准人	备注

表 2-3　×××××水环境监测中心质量体系文件控制目录

文件编号：×××××—CX—02—××××(No.2)

序号	受控文件名称	文件编号	修订次数	副本数量	存放地点	接收使用人

编制：　　　　质量负责人审核：　　　　主任批准：

表 2-4　×××××水环境监测中心文件销毁清单

文件编号：×××××—CX—02—××××(No.3)

序号	文件名称	文件编号	现行有效的同类文件名称	现行有效的文件编号	销毁时间与地点

申 请 人：　　　　审 核 人：　　　　批 准 人：
申请日期：　　　　审核时间：　　　　批准日期：

×××××水环境监测中心程序文件	文件编号：×××××—CX—03—××××	
	受 控 号：	
检测工作管理程序	第 1 版	第 0 次修订
	共 5 页	第 1 页

文件 3 检测工作管理程序

1 目 的

为对检测工作的全过程进行有效控制，保证检测数据准确有效可靠，特制定本程序。

2 适用范围

适用于完成各项检测任务的全过程。

3 职 责

3.1 监测中心主任

监测中心主任全面负责监测中心检测工作。

3.2 技术负责人

技术负责人负责监测中心检测报告的审批、检测工作程序和方法的审核、维护本文件的有效性。

3.3 质量负责人

质量负责人负责监测中心检测工作质量。

3.4 业务管理室

业务管理室负责落实上级下达的各项检测任务及委托检测任务，接收管理检测数据，负责检测报告的发放和保存工作。

3.5 实验室

实验室负责完成各项检测工作，负责样品采集和检测，填写原始记录，进行数据计算和原始记录整理，上报检测数据。

4 程 序

4.1 检测任务的确定

4.1.1 根据上级下达的地表水、地下水、废污水、大气降雨、土壤、河流悬移质、底质等检测任务，完成样品采集、分发、测试、数据计算与上报。

4.1.2 检测任务可划分为：

(1)常规指令性检测任务。

(2)受用户的委托检测。

(3)承担合同双方的仲裁检测。

4.2 制定检测计划

业务管理室编制年度检测任务计划、月监测任务书，经中心主任批准后下发。

根据下达的任务计划、各类委托检测要求和质量负责人下达的质量控制单，实验室制定实施检测计划。

4.3 样品采集、接收和管理

4.3.1 综合室按采样任务通知书实施样品采集和样品交接。

4.3.2 业务管理室负责对外委托样的接洽工作，同时与委托方签订“检测委托书(协议)”。经主管副主任批准，综合室签章生效后，由业务管理室下达测试任务移交监测中心实验室。委托方要求采样时，业务管理室应详细了解委托方检测目的和相关的环境条件。

4.3.3 样品到达实验室后，样品管理员按程序接收、核检样品，并立即通知检测人员到样品室领取样品，检测人员按任务书进行检测并出具检测数据。

4.3.4 样品的接收和管理具体按《样品的管理程序》执行。

4.4 检测工作的实施

4.4.1 指令性检测，由业务管理室按要求下达任务书，实验室根据任务书内容下达采样任务通知书并组织实施检测工作。

4.4.2 委托样品的测定，由实验室根据“检测委托书(协议)”开展检测工作。

4.4.3 检测人员必须持有承检项目(参数)检测的上岗证方可检测和出具检测数据。

4.4.4 检测人员根据各自承担的检测参数，依据所执行的标准、分析方法，完成各项参数的测试工作；检测结束后，应及时将检毕样品移交给样品管理员贮存。

4.5 数据控制

在检测过程中，检测数据控制依据《数据控制程序》，从以下几个方面控制：

4.5.1 数据的采集。

4.5.2 数据的处理与修约。

4.5.3 数据的判定。

4.5.4 数据的转移。

4.5.5 数据的更正。

4.6 编制和签发检测报告

4.6.1 检测的原始资料经填写、校核、复核手续，实验室主任或主任工程师审核无误后交资料档案管理员暂存，并及时将检测结果汇总表按要求报送业务管理室，编制有关报告。

4.6.2 委托样品的测试数据经复核无误后交业务管理室编写检测报告。

4.6.3 编制后的检测报告一式两份，填表人员、校核人员依次履行手续后在报告上签字，由技术负责人审核确认检测报告正确、有效、完整后，对检测报告进行最后的签发，签发并盖章的报告正本发送，副本由业务管理室存档。

4.7 发送报告和事后处理

4.7.1 业务管理室负责用指定的发送方式向委托人发送检测报告，并做好发送记录。

4.7.2 当委托方对检测结果提出异议时，执行《处理抱怨程序》。

检测工作流程见图 3-1。

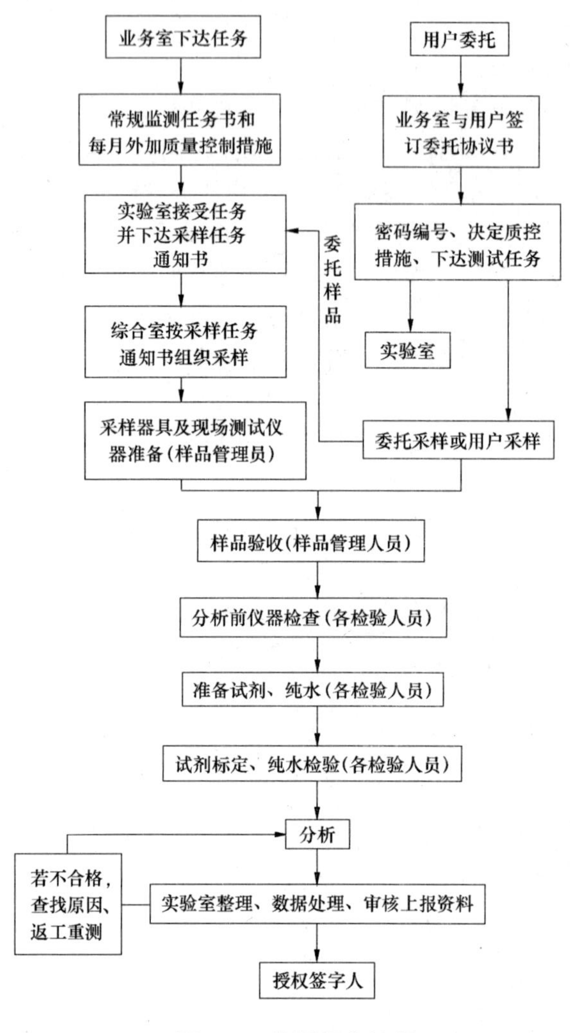

图 3-1 检测工作流程

5 附表及相关程序文件

(1)检测委托合同(协议)(见文件 19《样品的管理程序》表 19-6)。

(2)样品领用、返库、处理登记表(见文件 19《样品的管理程序》表 19-2)。

(3)委托样品检测任务通知单见表 3-1。

(4)质控任务通知单见表 3-2。

(5)水质监测任务通知单见表 3-3。

(6)采样任务通知单见表 3-4。

(7)《数据控制程序》(×××××—CX—16—××××)。

(8)《质量计划的编制和审批程序》(×××××—CX—01—××××)。

(9)《样品的管理程序》(×××××—CX—19—××××)。

(10)《检测报告的编制和管理程序》(×××××—CX—25—××××)。

表 3-1 ×××××水环境监测中心委托样品检测任务通知单

文件编号：×××××—CX—03—××××(No.1)

送样单位		送样时间	
样品类别		样品数量	
检测单位		样品采样时间	
		检测完成时间	
检测项目			
检测依据	□ ①现行国标、行标 □ ③国际或国外标准	□ ②企标 □ ④其他	
质控要求			
备注			

经手人： 年 月 日 接收人： 年 月 日

表 3-2 ×××××水环境监测中心质控任务通知单

文件编号：×××××—CX—03—××××(No.2)

样品类型		送样时间	
检试单位		检测完成时间	
质控要求	全程序空白样		
	密码平行样		
	考核样		
备注			

经手人： 年 月 日 接收人： 年 月 日

表 3-3 ×××××水环境监测中心水质监测任务通知单

文件编号：×××××—CX—03—××××(No.3)

任务来源				
监测任务	监测断面			
	监测项目			
	监测时间			
	采样时间			
	监测要求			
	资料报送			
	备注			
编制				年 月 日
审核				年 月 日
签发				年 月 日
接收单位		签收		年 月 日
备注				

表 3-4 ×××××水环境监测中心采样任务通知单

文件编号：×××××—CX—03—××××(No.4)

<table>
<tr><td rowspan="7">通知单位填写</td><td>通知单位</td><td colspan="3">中心实验室</td></tr>
<tr><td>通知单位负责人</td><td colspan="3"></td></tr>
<tr><td>采样时间</td><td></td><td>完成时间</td><td></td></tr>
<tr><td>任务性质</td><td colspan="3"></td></tr>
<tr><td>样品类型</td><td colspan="3"></td></tr>
<tr><td>采样断面</td><td colspan="3"></td></tr>
<tr><td>技术要求及野外质控</td><td colspan="3"></td></tr>
<tr><td rowspan="3">办公室填写</td><td>负责人</td><td></td><td>接收日期</td><td></td></tr>
<tr><td>采样人员</td><td colspan="3"></td></tr>
<tr><td>驾驶员</td><td colspan="3"></td></tr>
<tr><td>备注</td><td colspan="4"></td></tr>
</table>

文件4　验证试验及内部质量控制程序

1　目　的

为维持本监测中心实验室较高的校准和测量能力，全面提高监测中心检测人员的检测水平，确保检测数据的公正、准确、稳定、可靠，特制定本程序。

2　适用范围

本程序适用于上级有关部门组织安排的所属实验室之间开展的比对试验，也适用于本监测中心内部组织安排的实验室间比对试验，验证各实验室内部对分析质量进行控制的过程。

3　职　责

3.1　技术负责人

(1)负责监测中心实验室比对和能力验证工作。

(2)组织比对试验和能力验证结果的评定。

3.2　质量负责人

(1)制定监测中心年度分析质量控制计划和实施方案。

(2)组织各实验室负责人讨论方案，并组织实施与指导。

(3)对质量控制结果进行审核评比。

(4)负责维护本文件的有效性。

3.3　实验室负责人

(1)按计划组织有关检测人员完成实施方案内容。

(2)复核实验室的测试结果。

(3)编写综合报告报监测中心业务管理室。

3.4　业务管理室的资料档案管理员

收集并归档保存上述活动的记录和报告。

4　程　序

4.1　检测人员的检测能力验证

4.1.1　技术负责人制定监测中心验证计划，中心内部组织实施测试。不同检测人员在同一条件下多次检测同一检测样品或不同实验室检测同一检测样品，以评价该实验室、检测人员操作熟练程度及结果的随机误差。

同时，可以用标准物质进行校对，或者对不同检测人员在同机同样品情况下的检测结果进行校对，以得出检验人员检测结果的系统偏差。

4.1.2　实验室按计划实施方案的要求，负责组织检测人员对标准物质进行比测，认真做好测试记录(记录含测试环境条件，测试结果及其说明等)，经实验室负责人复核后，报监测中心技术负责人审核后归档。

4.1.3　技术负责人对实验室比测结果进行评审，如测试结果判定为“不合格”，应责成实验室负责人组织查找原因并采取纠正措施，必要时可安排对标样的再测试。

4.1.4　在开展新项目的过程中，实验室负责人组织参加此项目的检测人员开展人员间比对、检测仪器间的比对和不同测试方法间的比对，以提供测试结果可靠的证据。

4.1.5　作为岗前培训的内容，对新上岗的人员进行上岗考核和人员间比对，质量负责人对比对结果做出评审。

4.2　实验室的检测能力验证

4.2.1　为更进一步提高检测水平，在技术负责人组织下，监测中心检测人员除参加本中心内多种比对试验外，还可参加更高层次的比对试验。特别是应有计划地参加上级主管部门组织开展的实验室间比对试验或国家有关中心组织的实验室间比对试验，以获取有关分析数据。

4.2.2　参加比对的实验室检测人员按照指定的方法和要求对比对标样进行测试，并按照要求填写记录，对测试结果和记录经校核、实验室负责人复核后，报监测中心技术负责人审核后上报。

4.3　检测仪器设备的比对验证

4.3.1　检测人员如果怀疑某台仪器性能有问题，实验室负责人应组织检测人员进行验证。可采用以下检测方法：由一位检测人员用该台仪器和其他同类仪器分别对同一均匀样品或标准样品进行检测，检查其结果的相符性；或者用标准器具对该台仪器直接进行校验，得出该台仪器检测样品结果的偏差值。如果该台仪器所检数据误差超过规定范围，经多人多次反复核对无误后，应立即停用并安排修理。

4.3.2　当对检测结果的正确性和可靠性有怀疑时，实验室负责人应组织应用仪器间比对、不同测试方法间的比对等方法验证。

4.4　内部质量控制

4.4.1　质量控制方法应在质量控制计划中给予描述和确认，以确保对控制对象进行有效的监控。控制方法通常选择下述方式中的一种或几种的组合：

(1)使用有证标准物质或次级标准物质进行分析检测室内部的质量控制。

(2)参加国内和国际实验室间比对试验，或组织本实验室内比对试验。

(3)使用同一测试方法进行重复性试验，或采用不同测试方法(或仪器)进行方法(或仪器)间比对试验。

(4)抽查保留样品进行复验。

(5)对测试样品不同测试项目的结果进行相关性分析。

(6)对来自不同样品的测试结果进行统计分析所得到的经验数据。

(7)对原始测试记录的监督和检查。

4.4.2 实验室依据质量负责人制定的年度内部质量控制计划方案的有关内容，指定相关验证人员参加质量控制计划的实施。

4.4.3 实验室每次监测应按质量控制工作要求，完成密码平行样、全程序空白样以及标准样品等质控测试工作，并及时提交质控结果报告。

4.4.4 新进人员正式上岗前进行上岗考核，完成实验室内质量控制基础试验：

(1)空白试验。

(2)检测限。

(3)精密度偏性试验。

(4)质量控制图的绘制。

4.4.5 质量保证负责人对结果进行评价。

4.5 质量活动记录和结果的归档

4.5.1 每次验证活动的原始记录、测试结果和综合评审报告，经质量负责人审核后，由档案管理员归档保存。

4.5.2 业务管理室资料档案管理员按验证活动的计划及时收集有关资料，并编号归档妥善保管，具体按《记录与档案管理程序》执行。

4.5.3 技术负责人在每年的管理评审前，汇总上述评审结果，并向评审会议报告开展验证活动的情况，对其可靠性和有效性做出评估，改进并完善管理评审，具体按《管理评审程序》执行。

5 相关程序文件

(1)《记录与档案管理程序》(×××××—CX—23—××××)。

(2)《仪器设备的控制与管理程序》(×××××—CX—12—××××)。

(3)《检测方法管理程序》(×××××—CX—15—××××)。

(4)《管理评审程序》(×××××—CX—08—××××)。

文件5　出现意外时的反馈和纠正措施程序

1　目　的

为保证所建立的质量体系能够充分发挥其纠正和预防功能，对检测活动中出现的异常情况进行有效的识别、反馈和纠正，特编制本程序。

2　适用范围

对检测工作过程中出现的异常情况进行调查，确定原因以及对检测质量可能造成的危害，采取相应的预防和纠正措施。对存在疏漏的质量体系文件进行及时的修订和补充。

3　职　责

3.1　监测中心主任

(1)组织对检测中出现的意外事故和人员伤亡进行核查与处置。

(2)负责人员伤亡的处理。

(3)负责对偏离所造成的不良影响组织善后处理，并提出纠正和预防措施。

3.2　技术负责人

(1)组织检测中出现技术偏离的核查与处置，并提出纠正和预防措施。

(2)负责维护本文件的有效性。

3.3　质量负责人

(1)组织对质量体系运行中出现的偏离进行核查。

(2)对需要调整的质量体系文件进行修订或补充。

4　程　序

4.1　意外事故的一般处理程序

4.1.1　当员工在作业时发生人身伤亡事故，监测中心任何一位人员应立即实施救助。在采取救助的同时，及时通知监测中心主任。

4.1.2　当出现如火灾、水情、化学药品泄露、环境污染等意外事故时，任何一位员工都有责任、义务和权利采取防止灾害蔓延的一切施救措施。在救助的同时，及时通知监测中心主任。

4.1.3　当出现仪器设备或设施损坏时，当事人应采取措施防止损害继续蔓延，保护现场并及时报告监测中心主任，做好损坏现场的记录。

4.1.4　当出现和发现被检样品损坏或丢失时，当事人应立即向技术负责人报告，采取必要的补救措施，同时做好损坏或丢失现场的记录。

4.1.5 当检测中出现停电、停水、停气等影响检测的故障时，检测人员应首先对仪器设备和被检样品实施保护措施，防止仪器设备和样品的损坏，同时做好现场记录，向监测中心主管副主任和技术负责人报告。

4.1.6 事故发生后两天内，事故责任者应写出事故报告，内容包括事故发生的时间、地点、经过、原因及造成的损失等情况；事故发生一周内，监测中心应向上级主管部门提交事故处理报告单，所有记录应存档。

4.2 发现和怀疑偏离质量要求时的处理

4.2.1 发现和怀疑检测结果有误时，当事人应出具“发生意外和偏离程序的调查和处理记录”，详细记录观察到的事实，供实验室负责人分析、评判，由技术负责人提出纠正和预防的措施，实验室负责安排实施。

4.2.2 当委托人对检测结果提出抱怨时，质量负责人根据“抱怨处理记录”开展调查和审核工作，并将调查或审核中发现的问题及时报告监测中心主任。

4.3 反馈纠正和实施预防措施

4.3.1 当发现或怀疑检测活动有偏离时，监测中心各相关部门应从以下信息中分析产生不合格的原因，提出纠正和预防措施，由技术负责人监督检查。

(1)有关检测数据的处理。

(2)检测的过程和原始记录。

(3)引用的标准(方法)。

(4)样品的管理记录。

(5)仪器设备的溯源计划和校准结果。

(6)仪器设备的使用、维护、维修和运行检查记录。

(7)标准物质的溯源与验证记录。

(8)各类消耗品的控制记录。

(9)委托人抱怨的记录。

(10)有关安全和环境保护的要求和记录。

4.3.2 由质量负责人组织有关人员召开质量会议，通报质量事故原因和处理结果，针对事故发生的原因，提出预防和改进措施。

4.3.3 发现或怀疑仪器设备、监测设施失效或检测失误时，实验室负责人应及时上报监测中心主任，并按《检测报告的编制和管理程序》中有关条款的规定执行。技术负责人立即以书面方式通知可能受到影响的所有报告使用人，提出善后弥补措施并组织实施。

4.3.4 由于样品被破坏而影响检测或检测结果的事实，应由实验室负责人组织查证，查清样品被破坏的原因。如是本监测中心管理使用不善造成样品的破坏，实验室负责人应查清和记录全部事实，提出纠正和预防措施后报监测中心主任批准。

4.3.5　对检测过程中出现的诸如停电、停水、停气等能源供给中断而造成的影响，当事人应做好保护仪器设备和样品的善后工作，记录观察到的全部现象和发生时间，并由实验室负责人组织分析对检测结果和样品是否造成影响。如确认没有造成任何影响，当恢复能源供给后应继续进行检测。

4.3.6　在质量体系审核中，发现或怀疑检测结果的正确性和有效性有问题时，质量负责人应立即通报实验室负责人采取本程序第4.3.3条和《检测报告的编制和管理程序》中有关条款的规定，以书面方式通知可能受到影响的所有报告使用人。

4.3.7　由于质量体系文件模糊、疏漏造成质量事故时，技术负责人应及时召集技术管理层讨论整改和实施纠正措施，由质量负责人调整、补充和完善质量体系文件。

4.3.8　因本监测中心的原因造成的顾客损失，应由监测中心主任或授权技术负责人与委托人协商解决，必要时给予实物或经济赔偿。

4.3.9　当内审中发现监测中心的检测能力结果严重离群、校核中发现偏离预期检测控制值时，技术负责人应向监测中心主任建议停止检测活动，查找存在的原因。当找到原因并采取相应有效的措施后，再恢复检测活动。同时将实施的有效措施写入相应的质量体系文件中。

4.3.10　经确认不属于本监测中心责任的问题，应与申诉、投诉者沟通解决。

4.3.11　所有事故调查的结果、纠正和预防措施的实施文件，以及投诉、申诉的记录都应由业务管理室资料档案管理员归档保存。

5　附表及相关程序文件

(1)发生意外和偏离程序的调查与处理记录见表5-1。

(2)事故处理报告单见表5-2。

(3)《检测报告的编制和管理程序》(×××××—CX—25—××××)。

表5-1　×××××水环境监测中心发生意外和偏离程序的调查与处理记录

文件编号:×××××—CX—05—××××(No.1)

<table>
<tr><td>记录人</td><td></td><td>发生时间</td><td></td></tr>
<tr><td>见证人</td><td></td><td>发生地点</td><td></td></tr>
<tr><td colspan="4">出现意外的类型：
人员伤亡　样品丢失／损坏　仪器设备失准／损坏　违反作业规程　环境失控
引用的方法错误　检测数据错误　使用外来材料质量问题　能源供给中断
人员作业水平不够　其他偏离原因　质量记录</td></tr>
<tr><td colspan="4">描述发现或怀疑偏离程序和质量要求的事实：

年　月　日</td></tr>
</table>

续表 5-1

监测中心主管副主任负责组织调查核实事实／分析产生的原因和后果／采取的善后措施／提出处理与纠正和预防措施： 年　月　日
监测中心主任审批处理与纠正和预防措施的意见： 年　月　日
技术负责人或质量负责人跟踪验证由于偏离出现技术问题的处理与纠正和预防措施的实现： 年　月　日

注：①本检测事故调查记录表应包含事故描述、时间、地点、产生原因分析、采取的措施、损失和影响的估算、见证人、事故处理意见和方案等。

②所有与本记录有关的文件应当与本记录一起归档。

表 5-2　×××××水环境监测中心事故处理报告单

文件编号：×××××—CX—05—××××(No.2)

事故发生部门：
事故情况描述： 报告人：　　年　月　日
事故调查及分析： 调查人：　　年　月　日
处理意见： 部门负责人：　　年　月　日

批准人：　　　　年　月　日

文件6 控制偏离的管理程序

1 目 的

为有效地控制由于特殊情况下不可预测原因而必须采取的偏离措施，特编制本程序。

2 适用范围

本程序适用于由于检测样品的特殊性等其他原因，无法按规定程序或标准程序执行，例外允许开展某项检测工作的情况。

3 职 责

3.1 技术负责人

(1)负责对偏离申请的批准与组织跟踪。

(2)负责维护本程序文件的有效性。

3.2 质量负责人

负责审核偏离申请的内容、原因及采取措施。

3.3 实验室

(1)提出允许偏离的申请。

(2)负责允许偏离纠正和预防措施的落实及所有记录的保存与归档。

4 程 序

4.1 偏离的提出和申请

4.1.1 检测人员在执行检测活动中，当出现以下情况时可以提出例外或偏离的申请：

(1)质量体系文件没有规定或规定不明确时。

(2)由于时间紧迫无法履行规定程序要求。

(3)由于采集样品本身的特殊性，不能完全按规定的标准和分析方法进行检测。

(4)外部服务和供应不能履约。

(5)委托人(临时)改变检测要求。

(6)无法克服的其他客观因素。

4.1.2 由实验室向质量负责人提出申请，填写“申请例外允许／偏离的请求批准报告”，详述偏离的内容与原因及采取的措施。

4.1.3 质量负责人应针对申请的原因，核对质量体系的有关文件和要求，确认是否需要实施例外允许或偏离，拟定相应跟踪和处理措施的建议，交技术负责人批准。

4.2 审核和批准

4.2.1 由技术负责人组织管理层讨论研究、确定并批准。偏离标准和程序必须坚持不违反委托方要求，不违背监测中心质量方针，不影响检测的公正性和不损害客户、有关部门利益的原则，严格履行审批及必要的验证手续。

4.2.2 对由于质量体系本身存在缺陷的例外批准，实验室主任和中心技术负责人应向中心质量负责人通报，由质量负责人做出对质量体系文件的修订、调整或补充的计划，报监测中心主任批准后实施。

4.2.3 批准偏离或例外被允许后，质量负责人安排跟踪或验证计划，实验室负责人应按《出现意外时的反馈和纠正措施程序》安排纠正和预防措施的落实，收集和反馈有关偏离后的影响。如产生不良的影响，应立即采取补救措施。

4.2.4 如产生重大法律或社会经济后果，则应立即向监测中心主任报告。

4.3 检测报告的表述

当批准实施对检测标准的偏离后，检测人员应在检测报告中注明偏离检测标准规定要求的情况。

4.4 文件的归档

实施例外允许或偏离的批准文件由实验室附在原始记录后随检测报告一并存档保管。

5 附表及相关程序文件

(1)申请例外允许／偏离的请求批准报告见表 6-1。

(2)《出现意外时的反馈和纠正措施程序》(××××.×—CX—05—××××)。

表 6-1 ×××××水环境监测中心申请例外允许／偏离的请求批准报告

文件编号：×××××—CX—06—××××(No.1)

申请人		申请时间	
例外允许的 请求申请事由			
例外允许 偏离后果分析	是否： 有法律要求 涉及合同质量 涉及质量方针 涉及实验室公正性 对仪器或样品构成影响 其他不良影响		
实施跟踪和 善后补救措施的建议	实验室负责人： 年 月 日		
审核意见	质量保证负责人： 年 月 日		
批准意见	技术负责人： 年 月 日		
实施跟踪和 善后措施结果	质量保证负责人： 年 月 日		

文件7 内部质量体系审核程序

1 目 的

内部审核的目的是查明质量体系的实施效果是否达到按检测机构的目标所建立的质量管理体系的要求，及时发现存在的问题，以便通过采取论证和预防措施，来进一步提高质量管理体系的符合性和有效性。

2 适用范围

本程序适用于本监测中心的质量体系内部审核。

3 职 责

3.1 监测中心主任

监测中心主任负责批准年度内部质量体系审核计划。

3.2 质量负责人

质量负责人负责监测中心内部质量审核，策划质量体系审核要点，组织制定“年度质量体系审核工作计划”，并经中心主任批准。

3.3 内审组长

内审组长组织实施内部质量体系审核，编制并管理有关审核文件、报告和资料。

3.4 质量内审员

(1)参与本监测中心质量体系内部审核工作。

(2)对纠正措施的完成情况进行跟踪监督，写出跟踪审核报告。

3.5 业务管理室

业务管理室负责编制内审检查表，做好内审会议记录。

3.6 其他有关部门

配合完成内部质量体系审核，并对不符合项采取纠正措施。

4 程 序

4.1 年度内审计划

4.1.1 根据以往审核活动状况和重要程度，年初质量负责人编制年度内审计划，确定审核的范围和方法。内审计划由监测中心主任批准。一般情况下内审通常一年进行1～2次，并要求覆盖本监测中心质量体系的所有要素和所有部门。另外，如出现以下情况，由质量负责人及时组织进行临时内部审核。

(1)组织机构、管理体系发生重大变化。

(2)出现重大质量事故或客户对某一检测活动投诉。

(3)法律、法规或其他外部要求的更改。

4.1.2 年度内部质量审核计划的内容如下：

(1)审核目的、范围、依据和方法。

(2)受审部门和审核频次。

(3)审核项目内容及时间安排。

4.2 审核前的准备

4.2.1 审核组长召集审核组进行审核准备工作会议，明确内审依据，确定审核方法和审核计划安排，分配任务，准备工作文件，审阅相关质量体系文件。

4.2.2 准备审核专用文件：

(1)质量审核通知。

(2)质量审核计划(即日程安排)。

(3)质量审核检查表。

(4)质量审核现场检查记录表。

(5)不符合项报告。

4.2.3 收集审核的依据文件：

(1)质量体系文件。

(2)法律法规文件。

(3)技术标准和有关制度。

(4)质量计划和管理文件。

4.2.4 由审核组长提前一星期向受审部门发出质量审核通知及本次质量审核计划。

4.2.5 受审部门收到质量审核计划后，要确定陪同人员并做好必要的准备工作。若对审核日期和审核的主要项目有异议，可在两天之内通知审核组，经协商后可以另行安排。

4.3 审核实施

4.3.1 由审核组长主持召开首次会议，审核组成员和被审核部门有关人员参加。首次会议的主要内容包括：

(1)宣布审核的目的、范围和依据。

(2)简要介绍实施审核所采用的方法程序。

(3)安排审核日程及澄清审核计划中不明确的内容。

(4)做好记录，到会人员签到。

4.3.2 由审核组长主持现场审核，内审员根据质量审核检查表进行现场审核(检查)，必要时还要审核检查表以外的相关内容，确保审核的独立性。

4.3.3 内审员应由经过专门培训，并有相应的授权文件，与被审核部门无直接责任的人员担任，以确保审核的公正性。

4.3.4　内审员通过交谈、阅读文件、检查现场、收集证据，核实受审核部门质量体系的实施效果是否达到规定的要求，并按规定做好记录。审核中涉及到相关或接口部门(人员)时内审员应进行跟踪检查，涉及的部门或人员应予协作。

4.3.5　审核现场发现问题时，应由该项工作的负责人或操作者确认，并由审核人员填写质量审核现场检查记录表，以便于纠正。

4.3.6　审核结束后，由审核组长召集审核组成员参加会议，讨论审核结果，确认不符合项，并填写不符合项报告。

4.3.7　审核组与被审部门负责人交换审核意见，由内审员填写不符合项报告中的“不符合事实描述”和“纠正措施建议”等内容，并由被审核部门负责人签字认可。

4.3.8　由审核组长召集受审核部门负责人、审核组成员及其他有关人员参加会议(末次会议)，宣布审核结果，提出制定纠正措施的建议。参加末次会议的人员要求与首次会议人员相同。

4.4　审核报告

4.4.1　审核报告由审核组长或其授权的内审员编写，经签字后，报质量负责人批准。

4.4.2　审核报告的内容包括：

(1)审核目的。

(2)审核范围和日期。

(3)受审核部门。

(4)审核依据的文件。

(5)内审员。

(6)受审核部门联系人及主要参加人员。

(7)审核综述及结论性意见。

(8)不符合项汇总表及纠正要求。

4.5　审核后的跟踪

4.5.1　受审核部门室主任在收到不符合项报告后一周内，对不符合项采取纠正措施，交内审员和质量负责人验证后组织实施。

4.5.2　对短期内不能纠正的不符合项，受审核部门(或责任部门)应制定纠正措施计划，交质量负责人确认后，按《出现意外时的反馈和纠正措施程序》实施纠正。内审员对其进行跟踪监督，写出跟踪审核报告。

4.5.3　质量审核报告和记录由业务管理室按《记录和档案控制程序》的规定保存，保存期为 5 年。

4.5.4　内部质量体系审核结果是管理评审和质量改进的输入。

5　附表及相关程序文件

(1)《记录与档案管理程序》(×××××—CX—23—××××)。

(2)《出现意外时的反馈和纠正措施程序》(×××××—CX—05—××××)。

(3)质量审核现场检查记录见表 7-1。

(4)内审检查表见表 7-2。

(5)内部质量审核报告见表 7-3。

(6)不符合项及改进、纠正措施实施情况报告见表 7-4。

表 7-1 ×××××水环境监测中心质量审核现场检查记录

文件编号：×××××—CX—07—××××(No.1)

审核时间	审核依据	审核检查中发现的问题	整改意见

表 7-2 ×××××水环境监测中心内审检查表

文件编号：×××××—CX—07—××××(No.2)

序号	内审项目	内审依据	评定方法及结果	受审核部门	受审核部门负责人

表 7-3 ×××××水环境监测中心内部质量审核报告

文件编号：×××××—CX—07—××××(No.3)

<table>
<tr><td>审核目的</td><td colspan="5"></td></tr>
<tr><td>审核范围</td><td colspan="5"></td></tr>
<tr><td>审核依据</td><td colspan="5"></td></tr>
<tr><td>审核组成员</td><td colspan="5"></td></tr>
<tr><td>审核日期</td><td></td><td>编制人</td><td></td><td>编制日期</td><td></td></tr>
<tr><td colspan="6">内部审核综述</td></tr>
</table>

表 7-4　×××××水环境监测中心不符合项及改进、纠正措施实施情况报告

文件编号：×××××—CX—07—××××(No.4)

<table>
<tr><td>被审核部门：</td><td>部门负责人：</td></tr>
<tr><td colspan="2">不合格事实描述：</td></tr>
<tr><td>内审员：　　年　月　日</td><td>受审核方负责人：　　年　月　日</td></tr>
<tr><td colspan="2">纠正措施：</td></tr>
<tr><td>部门负责人：　　年　月　日</td><td>内审员签字：　　年　月　日</td></tr>
<tr><td colspan="2">纠正措施完成情况：</td></tr>
<tr><td colspan="2">部门负责人：　　年　月　日</td></tr>
<tr><td colspan="2">纠正措施完成验证：</td></tr>
<tr><td colspan="2">内审员签字：　　年　月　日</td></tr>
</table>

文件8　管理评审程序

1　目　的

为有计划地开展本监测中心的质量管理评审，确保质量管理体系持续的适宜性、充分性和有效性，特编制本程序。

2　适用范围

本程序适用于本监测中心质量体系文件的实施及改进措施的落实。

3　职　责

3.1　监测中心主任

监测中心主任主持管理评审，每年度组织对监测中心的质量体系进行管理评审，确定管理评审日期，对管理评审的结论负责。

3.2　技术负责人

(1)参加管理评审，向监测中心主任及管理评审会议报告内审结果。

(2)对要改进的措施负责组织实施，并跟踪方案。

3.3　质量负责人

质量负责人负责管理评审计划的落实和组织协调工作，并督查管理评审后的跟踪检查工作。

3.4　监测业务室

(1)负责管理评审的具体实施工作，负责收集和提供管理评审所需资料。

(2)归档保存质量管理评审的记录。

3.5　其他部门

各相关部门提供有关评审资料，负责评审中提出的纠正和预防措施的具体实施工作。

4　程　序

4.1　管理评审计划

4.1.1　管理评审一般每年进行一次，质量负责人制定“管理评审计划”。计划中应明确评审所需要准备的资料和资料的提供部门，经中心主任批准后于管理评审前一个月下达至各相关部门及负责人员，以做好管理评审前的准备工作。评审计划的内容包括：

(1)评审目的、评审内容、评审时间和评审方式。

(2)评审资料的提供部门。

(3)参加评审的部门及人员。

4.1.2　管理评审会议每年一次，两次评审间隔一般不超过 12 个月，如因组织机构发生重大变化、检测工作发生重大质量问题、有客户重大投诉、市场需求有重大变化，最高管理者可决定增加评审次数或临时组织进行评审。

4.2　管理评审的时机

监测中心主任在每年度根据以下需要对质量体系进行管理评审：

(1)质量体系一年的运行周期。

(2)在全年内审工作中发现质量体系存在待改进和调整的问题。

(3)对质量体系文件的内审结果评审时。

(4)委托人对质量体系提出要求时。

(5)内部质量控制方案和参加能力验证的实施效果。

4.3　管理评审内容

(1)质量方针、质量目标的适用性和有效性。

(2)组织机构岗位设置、职责、权限、组织接口及资源配置的适用性和有效性。

(3)质量体系文件(包括标准)的适用性和有效性。

(4)内部质量体系审核结果。

(5)外部机构进行的评审结果报告。

(6)客户投诉及处理结果报告。

(7)管理人员和质量监督员一年来管理与监督情况报告。

(8)工作量和工作类型的变化分析与对策报告。

(9)前一次管理评审的输出。

(10)纠正措施和预防措施执行情况报告。

(11)实验室间的比对和能力验证结果报告。

(12)调查收集客户反馈意见，汇总分析报告。

(13)其他相关因素(如质量控制活动、员工培训教育的状况分析)报告。

4.4　管理评审实施

4.4.1　业务管理室负责评审准备，收集汇总有关的评审资料。

4.4.2　中心主任主持管理评审会议，各部门负责人及相关人员参加。

4.4.3　质量负责人汇报前一阶段质量体系运行和检测工作情况。

4.4.4　按评审计划安排，各相关部门按评审计划要求进行专项或书面报告。

4.4.5　针对 4.4.3 条和 4.4.4 条中的问题，会议进行讨论、分析。

4.4.6　业务管理室负责记录管理评审会议内容，填写管理评审会议记录。

4.4.7　管理评审报告。

业务管理室依据管理评审会议提出的结论意见编制“管理评审报告”，提出完善质量体系、修订质量体系文件的建议或意见，经质量负责人审查，报中心主任批准下达执行。

管理评审报告内容一般包括：

(1)评审概况，包括进行本次管理评审的目的、内容、评审人员、评审日期等。

(2)对质量体系运行情况及效果的综合评价。

(3)针对检测机构面临的新形势、新问题、新情况，分析质量体系存在的问题及原因。

(4)关于采取纠正措施或预防措施的决定及要求。

(5)管理评审的结论。

4.5 管理评审改进措施

4.5.1 管理评审中提出的改进措施，由责任部门制定改进措施的实施与验证计划，进行质量改进，并按纠正和预防措施控制程序具体实施。

4.5.2 业务管理室负责检查、验证改进措施计划的实施效果，并做好验证确认的记录。

4.5.3 质量体系文件需要更改时，由业务管理室组织原编制部门按照《文件控制和维护程序》进行更改。

4.5.4 监测中心在评审中发现的问题和采取的纠正措施及其效果应按管理评审整改内容与完成情况表的形式记录并存档保存。

5 附表及相关程序文件

(1)管理评审会议记录见表 8-1。

(2)管理评审报告见表 8-2。

(3)管理评审整改内容与完成情况表见表 8-3。

(4)《记录与档案管理程序》(×××××—CX—23—××××)。

表 8-1 ×××××水环境监测中心管理评审会议记录

文件编号：×××××—CX—08—××××(No.1)

会议名称			
会议时间		会议地点	
主 持 人		记 录 人	
参加人			
会议内容			

表 8-2　×××××水环境监测中心管理评审报告

文件编号：×××××—CX—08—××××(No.2)

评审目的			
评审范围			
评审依据			
评审组成员			
评审会议地点		评审日期	
编 制 人		编制日期	
管理评审结论：			

表 8-3　×××××水环境监测中心管理评审整改内容与完成情况表

文件编号：×××××—CX—08—××××(No.3)

序号	整改内容	整改措施	完成期限	部门负责人	监督检查情况
批准意见	年　月　日				

文件9 员工培训与考核程序

1 目 的

为了对从事与质量活动有关的人员(管理人员、检测人员、验证人员)有计划地进行培训和考核，不断提高监测中心各级检测和管理人员的业务能力，使监测中心人员具备满足工作要求的能力和资格，特编制本程序。

2 适用范围

本程序适用于新进人员的上岗培训和考核，以及本监测中心所有检测与管理人员的培训和考核。

3 职 责

3.1 监测中心主任

监测中心主任负责审批人员培训计划。

3.2 监测中心副主任

(1)组织制定年度人员培训、考核计划。

(2)组织实施人员培训及考核。

3.3 质量负责人

(1)组织检测人员上岗考核。

(2)负责审核年度检测人员持证上岗考核计划。

3.4 监测中心综合室

监测中心综合室是人员教育、培训、考核的管理部门，负责制定人员的年度培训考核计划，归档保存人员的培训和考核记录。

3.5 业务管理室

业务管理室负责制定年度检测人员持证上岗考核计划。

3.6 资料档案管理员

资料档案管理员负责归档保存人员的培训和考核计划。

4 程 序

4.1 人员考核

4.1.1 本监测中心实施检测工作持证上岗考核制度，监测中心所有检测工作人员均经考核合格并取得合格证后方能独立上岗工作。

4.1.2 质量负责人组织新工作人员上岗考核，考核内容包括仪器设备的工作原理、操作技能和专业理论知识等内容，经考核合格后发给上岗证，持证上岗。

4.1.3 凡初次参加项目分析或采用新分析方法的人员，应首先进行分析项目精密度偏性试验，对其测定结果的评价合格并取得合格证后方能上岗操作，出具检测数据。

4.1.4 凡初次使用贵重、精密仪器的人员，应进行仪器设备工作原理、操作规程和操作技能考核，考核合格后发给贵重、精密仪器操作证方可上岗操作，出具检测数据。

4.1.5 对持有上岗证的人员，由质量负责人组织，业务管理室进行定期或不定期的考核，考核方式采取标准样品、精密度偏性试验等方式。考核不合格的要重新参加单项技术培训和单项上岗考核，考核合格后方可上岗。

4.1.6 监测中心主任组织本监测中心各类人员的年度考核。年度专业技术考核与年终工作考核同时进行，考核内容包括工作态度、业务水平、工作业绩以及发表的论文报告、著作等。

4.2 人员的培训

4.2.1 根据监测中心工作的需求，相关科室根据下列情况提出培训计划：

(1)调入人员和新进人员上岗前。

(2)新仪器设备使用前。

(3)执行新分析方法前。

(4)开展新项目前。

(5)由于人员技术缺陷造成检测事故后。

4.2.2 人员培训计划应明确培训的科目和内容、培训的时间、培训的地点和对象、培训经费、授课教师和考试方法等。

4.2.3 综合室负责汇总编制年度人员培训计划，并填写人员培训计划表。

4.2.4 人员培训计划经监测中心主任批准后实施。

4.2.5 实施后的人员培训考核记录由质量负责人审阅后，交资料档案管理员归档，存入个人技术档案。监测中心综合室负责建立所有检测技术人员的个人档案，每次培训情况均应登记，具体按《记录与档案管理程序》执行。

4.2.6 质量负责人根据人员培训和考核结果颁发上岗证。

4.2.7 对没有达到培训要求的人员，应再次安排培训和考核。如多次培训仍达不到培训目标，由实验室主任提请监测中心主任另外安排工作。

4.3 培训计划执行的监督

监测中心主管副主任会同综合室对年度培训计划的实施进行监督，发现不符合要求的应采取措施纠正，以保证培训计划的有效实施。

5 附表及相关程序文件

(1)年度人员培训计划表和考核记录表分别见表 9-1、表 9-2。

(2)《记录与档案管理程序》(×××××—CX—23—××××)。

表 9-1　×××××水环境监测中心年度人员培训计划表

文件编号：×××××—CX—09—××××(No.1)

序号	培训内容	培训对象	培训方式	培训时间	责任部门	备注

表 9-2　×××××水环境监测中心人员培训考核记录表

文件编号：×××××—CX—09—××××(No.2)

姓名	部门	主考单位	考试内容	考试时间	考试成绩	备注

文件10　实验室安全与内务管理程序

1 目 的

为确保实验室有良好的安全和内务管理措施，使实验室环境、内务符合有关人身健康和环保要求，特编制本程序。

2 适用范围

本程序适用于所有与检测有关的安全与内务管理。

3 职 责

3.1 中心主管副主任

中心主管副主任为安全与内务管理第一责任人，负责中心安全检测与内务管理。

3.2 综合室

综合室负责中心及各分析检测室安全与内务管理的总体控制。

3.3 实验室负责人

(1)负责制定安全与内务管理的规章制度，并负责实施。

(2)负责本程序在其分析检测室内的有效运行。

3.4 其他

中心全体检测人员应认真执行本程序各项规定。

4 程 序

4.1 安全

4.1.1　实验室和综合室负责人组织建立各种安全措施，具体考虑以下各项因素：

(1)用水用电的控制。

(2)用火的控制。

(3)样品防丢失的措施。

(4)易燃、易爆物品的控制。

(5)剧毒药品和腐蚀品的控制。

(6)样品运输安全控制。

(7)其他因素。

4.1.2　安全措施应规定出使用程序、操作步骤、监控手段、救助措施。

4.1.3　监测中心实验室质量监督员负责日常活动时的安全监督，发现安全隐患要及时报告实验室负责人。试验完毕后，检测人员应检查水、电、气瓶、门窗是否安全。发生意外事故时，应迅速切断电源、火源、气源，人员迅速撤离现场，并及时报告有关负责人。

4.1.4　未经许可，非检测人员不得随意出入实验室。外来人员进入实验室必须经实验室负责人批准，并由实验室人员陪同。

4.1.5　危险品执行《试剂、危险品管理程序》，实验室不得存放大量易燃、易爆药品。使用易燃、易爆和剧毒试剂时，必须谨慎操作，且要远离火源。接触有毒和易腐蚀皮肤的有机试剂，应带防护手套。开启和使用易挥发的有毒试剂应在通风橱内进行。

4.1.6　各种用电设施必须由专业人员进行安装，严禁私拉、私扯电线。所有用电设备必须接地良好，接线牢固，负荷适中，确保安全。

4.1.7　高压气瓶必须分类保管，远离热源、火源，避免暴晒及强烈震动，以免因温度升高而使气瓶内气压增大，引起爆炸。气瓶应按时进行检查，发现问题应及时进行处理。

4.1.8　仪器设备管理员应按照《仪器设备的控制与管理程序》对安全设备进行管理。

4.1.9　发生意外事故时，应采取积极救助措施，执行《出现意外时的反馈和纠正措施程序》。

4.2　环境保护和人员健康

4.2.1　不定期对实验室检测人员进行职业病检查，保证检测人员的身体健康。

4.2.2　实验室应对有可能造成环境污染和影响监测中心人员健康的废气、废液、固废物、噪声等进行处理、排放和控制，对可能危害人员作业安全的应建立安全防护措施(见试剂、危险药品污染处理作业指导书)。

4.2.3　实验室负责人应督促检测人员实施防护措施，达不到要求的应停止作业。

4.2.4　实验室质量监督员应对安全防护的实施进行监督。

4.3　实验室的内务管理

4.3.1　实验室应建立卫生管理制度，保持实验室清洁整齐，物品排放有序、安全放置，质量监督员不定期进行卫生检查、督察，实验室负责人定期对内务卫生进行监督检查。

4.3.2　所有人员应遵守卫生管理制度，搞好本实验室的环境卫生。

4.3.3　实验室内禁止吸烟、饮食，禁止存放与试验无关的一切杂物。

4.3.4　进入实验室要更换工作服，工作服要保持整洁。

4.3.5　实验人员进入实验室后按照规程实施工作。实验室无人工作时应关好门窗、水、电、高压气瓶后方可离开。

5　相关程序文件

(1)《仪器设备的控制与管理程序》(×××××—CX—12—××××)。

(2)《试剂、危险品管理程序》(×××××—CX—22—××××)。

(3)《出现意外时的反馈和纠正措施程序》(×××××—CX—05—××××)。

文件 11 检测环境的建立、控制和维护程序

1 目 的

为确保检测结果的有效性和准确性，保证检测工作正常进行，必须对实验室设备和环境条件进行有效控制和维护。

2 适用范围

本程序适用于本中心实验室检测环境的建立、控制和维护。

3 职 责

3.1 监测中心主任

(1)负责组织制定不同工作区域环境控制目标。

(2)负责组织建立各监控部位的监控手段和记录措施。

3.2 综合室

综合室负责监督检查外部环境和内部环境建设。

3.3 实验室负责人

实验室负责人负责实验室内部环境控制和维护。

3.4 质量监督员

质量监督员负责监督检测人员监控和记录环境控制参数。

3.5 检测人员和样品管理员

检测人员和样品管理员负责监控和记录与检测工作相关的环境参数。

4 程 序

4.1 环境目标的确定

4.1.1 监测中心副主任组织实验室根据仪器设备的最高使用限制要求和执行的检测方法，建立仪器设备的环境控制目标。

4.1.2 根据确定的环境目标，实验室负责人提出环境监控手段、方法和配套的监控设施与设备。

4.2 检测设施与设备的配置

4.2.1 实验室负责人提出各类工作区域监控环境的配置要求，以及实验室设施和环境改造、购置、安装计划，综合室汇总后报监测中心主任审核批准。

4.2.2 采购、验收和安装环境监控设备具体按《仪器设备的控制与管理程序》执行。

4.2.3 综合室根据批准后的计划对实验室检测环境进行改造建设，实验室协助，以

保证检测工作不因能源、采光、采暖、通风等因素造成影响。环境检测设备经检定／校准合格后，粘贴绿色“合格”标识投入安装使用。

4.3 相互影响环境的隔离

4.3.1 实验室负责人在建立检测环境时，应考虑不同仪器设备在不同检测作业时的相互影响，如有影响应采取隔离措施。

4.3.2 实验室内仪器设备的放置在遵循不相互影响的同时，应考虑使用的方便性。如二者不能兼顾，则采取有效措施，以避免测量时仪器设备相互影响。

4.4 检测对环境的监控

检测人员应在检测开始、检测完成后检查和记录环境监控参数，填写仪器设备使用情况记录表，避免环境条件发生偏离后给检测结果造成不良影响。

4.5 对检测环境的维护

4.5.1 在日常检测工作中，检测人员应确保各项检测工作的环境、工作条件符合检测标准和仪器设备的要求，如发现实验室的能源、照明、温控、安全防护设施等存在隐患和故障，应及时通知实验室负责人，查明原因，采取有效的处理措施。

4.5.2 实验室应有良好的工作秩序和互不干扰的工作环境。具体按《实验室安全与内务管理程序》执行。

5 附表及相关程序文件

(1)《仪器设备的控制与管理程序》(×××××—CX—12—××××)。

(2)《实验室安全与内务管理程序》(×××××—CX—10—××××)。

(3)仪器设备使用情况记录表见表11-1。

表11-1 ×××××水环境监测中心仪器设备使用情况记录表

文件编号：×××××—CX—11—××××(No.1)

仪器名称：

仪器型号：

<table>
<tr><td rowspan="2">日期
(年-月-日)</td><td rowspan="2" colspan="2">仪器条件及参数检测情况</td><td rowspan="2">使用时间及
使用情况</td><td colspan="2">环境条件</td><td rowspan="2">使用人</td></tr>
<tr><td>温度</td><td>湿度</td></tr>
<tr><td></td><td>使用前测试</td><td></td><td></td><td></td><td></td><td></td></tr>
<tr><td></td><td>使用后测试</td><td></td><td></td><td></td><td></td><td></td></tr>
<tr><td></td><td>使用前测试</td><td></td><td></td><td></td><td></td><td></td></tr>
<tr><td></td><td>使用后测试</td><td></td><td></td><td></td><td></td><td></td></tr>
</table>

文件 12 仪器设备的控制与管理程序

1 目 的

为保证检测结果的准确、可靠，确保仪器设备的有效管理，特编制本程序。

2 适用范围

本程序适用于检测工作中所使用仪器设备的采购、验收、使用、维护、修理、降级与报废等过程，以及仪器设备的标识与档案管理。

3 职 责

3.1 监测中心主任

监测中心主任负责批准所有仪器设备采购、降级、报废的要求。

3.2 综合室

综合室负责组织仪器设备的购置计划和采购、验收。

3.3 实验室

(1)提出仪器设备的购置要求和仪器设备维修申请。

(2)组织仪器设备的安装、调试与验收。

(3)组织编写仪器设备的操作规程。

(4)协助仪器到货后的验收。

3.4 仪器室

(1)负责仪器设备的维护、维修，提出仪器设备降级或报废处理申请，提出降级或报废意见，报监测中心主任批准。

(2)负责仪器设备的校检和标识管理工作。

(3)负责编写自校仪器设备校验规程。

(4)协助仪器到货后的验收。

3.5 检测人员

检测人员应熟练掌握仪器性能，按照操作程序使用仪器设备，负责日常维护。

3.6 物资管理员

物资管理员负责仪器设备的验收、登记、入账、领用、报废等手续，物资账与财务账和仪器档案应衔接、相符。

3.7 资料档案管理员

资料档案管理员负责参与仪器的验收，建立、管理仪器设备的档案。

4 程　序

4.1 仪器设备的配置、采购与验收

4.1.1 实验室应配备满足检测工作需要的全部仪器设备。

4.1.2 实验室应根据检测任务的要求和发展的需要，提出购置需求计划，填写购置申请表，由综合室汇总，上报批准后，提出招标申请。大型仪器由监测中心配合上级部门组织采购组，完成仪器指标的把关；一般仪器由监测中心主任召集有关管理和技术人员组成采购小组，实施政府采购；小型仪器由实验室进行咨询论证、价格洽谈，经监测中心主任批准后实施采购。

4.1.3 负责采购的人员与检测人员联系，确定仪器的指标、型号、安装和调试要求。

4.1.4 由中心主任授权人与供应商确定到货日期、付款方式并签订购置合同。

4.1.5 由中心主任授权人负责，综合室组织仪器室、实验室、物资管理人员、资料档案管理人员与供货商一起开箱、验收，按照合同检查设备是否齐全、有无损坏。对于大型仪器设备由中心分管主任监督验收。

4.1.6 按照合同要求，由供应商与设备使用人进行安装、调试，经过检定或者检验后；填写仪器设备验收单，同检定记录一起交资料档案管理员存档。

4.2 仪器设备的使用和维护

4.2.1 实验室负责人负责组织仪器设备使用人员编写仪器操作及维护规程，报技术负责人审批后实施。

4.2.2 仪器设备使用人在开机前，应检查仪器设备的使用状态，确认正常后方可开机使用;操作人员在仪器设备使用后应认真填写仪器设备使用记录表,标明目前设备的运行状态。

4.2.3 仪器设备操作人员需经培训合格后，才能持上岗证操作指定的仪器设备；操作人员必须熟悉仪器设备的结构、性能、操作规程及维护保养方法。

4.2.4 见习人员应在持证人员指导下操作使用仪器设备，外单位人员操作仪器设备需经技术负责人批准，并在该仪器设备操作人员的陪同下进行。

4.2.5 仪器设备使用人员应严格按照仪器设备操作规程进行操作，使用过程中出现异常情况应立即关机，并在仪器设备使用记录中登记异常情况。

4.2.6 仪器设备使用人因违反仪器设备操作规程操作，导致有可能对测试结果造成影响的，应按照《出现意外时的反馈和纠正措施程序》和《检测报告的编制和管理程序》采取相应措施并及时处理。

4.2.7 仪器使用人员应定期对其使用、保管的仪器设备进行维护、保养、通电、去湿、除尘，对仪器进行功能性检查。

4.2.8 仪器设备专管人应负责仪器设备所处环境的安全及卫生，始终保持仪器设备处于良好的工作环境。

4.2.9 仪器设备专管人应根据仪器设备的使用情况，定期按照仪器设备维护检修规

程不合格测试工作控制程序，《出现意外时的反馈和纠正措施程序》和《检测报告的编制和管理程序》采取相应的措施，及时地对有关部件进行清洗、处理、更新，并认真填写仪器设备维护检修记录，以确保其在良好状态下工作。

4.3 仪器设备的检定／校准

4.3.1 仪器设备必须按照检定周期进行计量检定。

4.3.2 仪器室负责仪器设备检定／校准计划的制定，经技术负责人审核批准后实施。

4.4 仪器设备的档案和标识管理

4.4.1 仪器档案管理员应填写仪器设备登记表、仪器设备计量检定表、仪器设备计量检定通知单、仪器设备台账表，建立仪器档案。仪器设备档案应包括以下内容：

(1)购置合同。

(2)仪器使用说明书。

(3)仪器装箱单。

(4)安装、调试记录。

(5)检定、维修记录。

(6)目前放置地点、责任人。

(7)仪器降级、报废记录(降级或报废后)。

4.4.2 经检定／校准后的仪器设备应及时加贴绿(合格)、黄(准用)、红(停用)三色标识标明其所处状态。各标识应用范围如下所述。

(1)合格证(绿色)：经过计量检定校验、检验合格者。

(2)准用证(黄色)：

①设备不必检定，经检查其功能正常者。

②设备无法检定，经对比或鉴定适用者。

③多功能设备某些功能丧失或下降，但监测工作所用功能正常，且经校验合格者。

④仪器设备某量程精度不够，但监测工作常用量程合格者。

⑤降级使用者。

(3)停用证(红色)：

①检测仪器设备损坏待修者。

②检测仪器设备经计量检定不合格者。

③检测设备超过检定周期者。

④检测仪器设备性能无法确定者。

4.5 仪器设备的故障处理

4.5.1 当发现仪器设备出现故障时，操作人员应及时向实验室负责人报告，填写仪器维修申请单或仪器设备外送维修单，经实验室负责人批准，仪器室组织维修。

4.5.2 修复后的仪器设备经检定／单位校准合格后方可使用。

4.5.3 仪器设备经检定／单位校准后确认设备性能下降或功能丧失，仪器室提出降级、报废申请、建议，报监测中心主任批准。

4.5.4 中心主管副主任应组织对在仪器设备故障下可能造成检测结果的影响进行追溯核查。当核查发现由于设备问题已经给检测结果造成影响时，质量负责人以书面形式通知使用检测结果的委托人。追溯应执行《检测报告的编制和管理程序》和《出现意外时的反馈和纠正措施程序》。

5 附表及相关程序文件

(1)仪器设备购置申请表见表 12-1。
(2)仪器设备登记表见表 12-2。
(3)仪器设备使用记录表见表 12-3。
(4)仪器设备计量检定表见表 12-4。
(5)仪器设备计量检定通知单见表 12-5。
(6)仪器设备维修申请单见表 12-6。
(7)仪器设备外送维修单见表 12-7。
(8)仪器设备报废申请单见表 12-8。
(9)仪器设备台账表见表 12-9。
(10)仪器设备验收单见表 12-10。
(11)《检测报告的编制和管理程序》(×××××—CX—25—××××)。
(12)《出现意外时的反馈和纠正措施程序》(×××××—CX—05—××××)。

表 12-1 ×××××水环境监测中心仪器设备购置申请表

文件编号：×××××—CX—12—××××(No.1)

序号	生产厂家	仪器名称	规格	单价	数量	用途
监测中心实验室： 年 月 日						
监测中心主任： 年 月 日						

表 12-2 ×××××水环境监测中心仪器设备登记表

文件编号：×××××—CX—12—××××(No.2)

生产厂家		仪器出厂编号	
仪器名称		仪器出厂日期	
规格		数量	
仪器性能指标			
验收意见			
备注			
供应商： 年 月 日		验收人： 年 月 日	

表 12-3 ×××××水环境监测中心仪器设备使用记录表

文件编号：×××××—CX—12—××××(No.3)

序号	设备名称	使用人	设备状态	房间号	备注

表 12-4 ×××××水环境监测中心仪器设备计量检定表

文件编号：×××××—CX—12—××××(No.4)

序号	设备名称	检定周期	检定日期	送检人	检定结果

表 12-5 ×××××水环境监测中心仪器设备计量检定通知单

文件编号：×××××—CX—12—××××(No.5)

____________你室的下述仪器设备安排在______年____月需进行计量检定，请尽快与我联系。

序号	仪器设备名称	型号	仪器编号	检定单位

仪器设备管理员：　　　　　　　　　　　　　　　　　年　月　日

我室已收到第___号计量检定通知单，根据工作安排，拟在下述时间送检。

序号	仪器设备名称	型号	仪器编号	检定时间

联系人：　　　　　　　　　　　　　　　　　年　月　日

表 12-6 ×××××水环境监测中心仪器设备维修申请单

文件编号：×××××—CX—12—××××(No.6)

申请单位		单位负责人	
申 请 人		申请日期	
仪器名称		仪器编号	
仪器故障及原因说明			
维修单位		单位负责人	
维修人员		维修日期	
仪器维修及处理情况			
验 收 人		验收日期	
备　　注			

表 12-7 ×××××水环境监测中心仪器设备外送维修单

文件编号：×××××—CX—12—×××××(No.7)

<table>
<tr><td>仪器设备名称</td><td colspan="3"></td><td>仪器型号</td><td colspan="2"></td></tr>
<tr><td>送检单位</td><td colspan="6"></td></tr>
<tr><td>日期</td><td colspan="6"></td></tr>
<tr><td>故障现象</td><td colspan="6"></td></tr>
<tr><td rowspan="2">维修记录
(维修单位填写)</td><td colspan="6"></td></tr>
<tr><td>工时</td><td></td><td>检修人</td><td></td><td>日期</td><td></td></tr>
<tr><td>仪器设备管理员
验收意见</td><td colspan="6"></td></tr>
<tr><td>主管领导签字</td><td colspan="3"></td><td>维修支出情况</td><td colspan="2"></td></tr>
<tr><td>备注</td><td colspan="6"></td></tr>
</table>

表 12-8 ×××××水环境监测中心仪器设备报废申请单

文件编号：×××××—CX—12—××××(No.8)

<table>
<tr><td>申请单位</td><td></td><td>单位负责人</td><td></td></tr>
<tr><td>申请人</td><td></td><td>申请日期</td><td></td></tr>
<tr><td>仪器名称</td><td></td><td>仪器编号</td><td></td></tr>
<tr><td>报废原因</td><td colspan="3"></td></tr>
<tr><td>审核人</td><td></td><td>审核日期</td><td></td></tr>
<tr><td>审批人</td><td></td><td>审批日期</td><td></td></tr>
<tr><td>备注</td><td colspan="3"></td></tr>
</table>

表 12-9　×××××水环境监测中心仪器设备台账表

文件编号：×××××—CX—12—××××(No.9)

序号	仪器设备名称	规格型号	仪器编号	生产厂家	出厂日期	放置房间号	最近检定时间	仪器状况	使用人	卷宗号

表 12-10　×××××水环境监测中心仪器设备验收单

文件编号：×××××—CX—12—××××(No.10)

编号	名称	规格型号	数量	购入情况	到货日期	验收日期	验收情况说明	备注

部门主管：　　制单：　　经办人：　　验收保管：

文件13　标准物质的管理程序

1　目　的

为使标准物质处于受控状态并保持完好，保证检测结果的准确性和有效性，对标准物质的接收、贮存、处置以及标准物质的识别等各个环节实施有效控制，特制定本程序。

2　适用范围

本程序适用于监测中心标准物质的购置、更新、验收、贮存、使用与管理。

3　职　责

3.1　技术负责人

技术负责人负责审批标准物质购置计划，审批失效标准物质的处理。

3.2　质量负责人

质量负责人负责审核标准物质购置计划，审查标准物质考核、验证结果。

3.3　业务管理室

(1)负责编制标准物质的采购计划。

(2)负责标准物质的购置、保管、发放、更新和报废。

(3)标准物质管理员负责建立标准物质档案，维护标准物质的贮存环境。

3.4　实验室

实验室负责完成标准物质的检测和检测结果的上报。

4　程　序

4.1　标准物质的购置

4.1.1　业务管理室根据检测需要，提出购置计划申请，经质量负责人审核、技术负责人审批后，业务管理室负责按照采购计划提出的规格、级别、数量进行标准物质的采购。

4.1.2　为满足监测中心检测数据的准确性、可靠性与可比性，应购买、使用国家一级标准物质或二级标准物质。

4.2　标准物质的验收

4.2.1　业务管理室标准物质管理员，应根据标准物质购置计划对购买的标准物质进行验收。接收标准物质样品时，应查看标准物质的状况(包装、数量、规格、编号)是否有破损情况，并认真检查标准物质的状态、性质及其资料的完整性。

4.2.2　验收合格的标准物质由标准物质管理员在包装容器上贴计量认证专用标识“合格证”。

4.2.3 验收合格后，标准物质所附带的各种技术资料，包括合格证、使用说明书、申购及验收记录等，均由业务管理室收集、整理、存档，并填写标准物质入库登记表，建立标准物质档案。入库后的标准物质应按照标准物质说明书的要求和保存规定进行贮存。

4.3 标准物质的传递

4.3.1 业务管理室负责根据质控任务书将标准物质及其资料(使用说明书)传递到实验室，并做好领用记录。

4.3.2 标准物质传递到实验室后，实验室检测人员应进行交接验收，查看标准物质样品状况是否与检测任务通知书的内容相符，查看标准物质使用说明书是否与安瓿瓶一致，检查无误后在标准物质出库记录表上签字。

4.3.3 实验室各检测人员负责完成各项标准物质的检测，质量负责人对考核结果进行审查并归档保存。

4.4 标准物质的更新

4.4.1 应使用有证标准物质，业务管理室定期检查标准物质的有效时间，保证使用时是在标准物质的有效期内，过期不得使用。超过有效期的标准物质，标准物质管理员应及时贴红色“停用”标识，防止误用。

4.4.2 过期标准物质的处置，由业务管理室向质量负责人提出处置申请，经质量负责人审核，报技术负责人批准后，方可进行处理。标准物质必须按规定处理，防止污染环境，造成危害。

4.4.3 根据检测工作的需要，重新购置所需的标准物质。

4.5 标准物质的管理及安全

4.5.1 标准物质和有关资料由业务管理室负责按有关规定进行贮存、管理，维护标准物质的贮存环境。

4.5.2 对有特殊要求的标准物质，应根据特殊要求做出相应的安排，包括接收、流转、贮存、处置的管理，采取安全与防护措施，保证标准物质的完好性。

5 附表

(1)标准物质入库登记表见表 13-1。

表 13-1 ×××××水环境监测中心标准物质入库登记表

文件编号：×××××—CX—13—××××(No.1)

标准物质名称	编号	数量	入库时间	经手人	验收人

(2)标准物质出库登记表见表 13-2。

(3)标准物质销毁登记表见表 13-3。

(4)标准物质登记表见表 13-4。

表 13-2 ×××××水环境监测中心标准物质出库登记表

文件编号：×××××—CX—13—××××(No.2)

标准物质名称	编号	领用量	领用时间	领用人	用途	负责人签字

表 13-3 ×××××水环境监测中心标准物质销毁记录表

文件编号：×××××—CX—13—××××(No.3)

标准物质名称	编号	销毁原因	销毁量	销毁时间	批准人	经手人	质量保证负责人	备注

表 13-4 ×××××水环境监测中心标准物质登记表

文件编号：×××××—CX—13—××××(No.4)

标准物质名称	编号	购买日期	购买数量	技术指标		制造单位	检定/校准机构	有效日期	备注
				测量范围	准确度等级/不确定度				

文件14 实现测量可溯源程序

1 目 的

为了将实验室的测量追溯到已有的国家计量基准，确保检测数据准确可靠，且具有可比性，特编制本程序。

2 适用范围

本程序适用于仪器设备和标准物质的量值溯源及仪器设备运行状况的检查工作。

3 职 责

3.1 主管副主任

(1)负责组织制定并审查检定溯源计划和验证／检定计划。

(2)批准仪器设备的溯源、验证／自校结果。

3.2 技术负责人

(1)审查仪器设备的溯源、验证／自校结果。

(2)负责维护本文件的有效性。

3.3 仪器室

(1)负责监测中心仪器设备检定、验证、自检。

(2)负责制定年度仪器设备检定、验证／自校计划。

(3)按照《水环境检测仪器与试验设备校(检)验方法》(SL144—95)等技术规定进行仪器设备的自校工作，并填写校验报告。

3.4 仪器设备管理员

(1)负责联系仪器设备的送检。

(2)监督仪器设备的校准和检定。

(3)保存仪器设备溯源结果。

4 程 序

4.1 仪器设备送检

4.1.1 测量和检验仪器设备在投入使用前及维修后必须经过校准／检定(验证)。仪器室负责编制仪器设备年度校准、检定／自检、验证计划。

4.1.2 检定／校准计划内容包括监测中心在用的所有出具检测数据的仪器设备、计量器具(包括新购置的、维修后的、停用时间超过有效检定周期的)的名称、需要校准的量值范围、校准不确定度的要求、检定／校准的周期、下一次检定／校准的连接时间、检定／校准的服务机构、检定／校准机构的资质。

4.1.3 仪器设备管理人员根据检定计划，按照“量值溯源图”向当地能够提供溯源到国家计量基准能力的法定／授权检定机构送检或联系仪器检定。检定的仪器设备在送检过程中应采取防震等措施。

4.1.4 检定合格后的仪器设备，应及时索取检定证书，并核对检定证书的有效性。检定或校准证书应显示对国家测量基准的溯源情况，并提供测量结果及相应的测量不确定度。

4.1.5 仪器设备送检的相关记录和检定证书由设备管理人员存档。

4.1.6 经检定的仪器设备由设备管理人员按《仪器设备的控制与管理程序》规定粘贴相应的标识进行管理。

4.2 仪器设备自检定／校验

4.2.1 为确保在用的测量仪器设备量值符合要求，监测中心自检定／校验的仪器设备应根据国家和行业仪器检定与校验标准对仪器设备进行自检定／校验，填写自检定／校验证书并绘制能溯源到国家计量基准的量值传递方框图。

4.2.2 对于一些无国家或行业自校验方法的仪器设备，监测中心可指定专人编写校验方法，编写格式按《国家计量检定规程编写规则》(JJF1002—1998)执行，编写的校验规程须经监测中心技术负责人批准，并报上级计量办公室备案。

4.2.3 自校仪器设备按校验周期，由仪器设备管理人员及经培训的相关技术人员进行自校。

4.2.4 仪器设备自校人员在完成仪器设备的校验工作后，出具符合使用要求的自校证书和报告。自校仪器设备的结果交资料档案管理员存档。

4.2.5 对于不能量值溯源的仪器设备，可使用有证的标准物质或进行实验室间比对或能力验证的方法来确保测量结果的可靠性。

4.3 粘贴相应标识进行管理

经检定自校后的仪器设备应粘贴上相应标识进行管理，具体按《仪器设备的控制与管理程序》执行。

4.4 检查仪器设备的标识

仪器设备管理员应经常检查仪器设备的标识，以维护标识的有效使用。

4.5 标准物质的采购及使用

标准物质的采购应由业务管理室申请、汇总，制定采购计划，经监测中心质量负责人审核、技术负责人审批后采购。标准物质的使用应选择有证或附有由法定计量机构出具的溯源证明的标准物质，并保证是在有效期内。

5 相关程序文件

(1)《仪器设备的控制与管理程序》(×××××—CX—12—××××)。

(2)《验证试验及内部质量控制程序》(×××××—CX—04—××××)。

(3)《水环境检测仪器与试验设备校(检)验方法》(SL144—95)。

(4)《国家计量检定规程编写规则》(JJF1002—1998)。

文件15　检测方法管理程序

1　目　的

检测方法是实施检验的重要技术依据，为确保实验室使用适当的方法开展检测工作，保证检测结果的正确性和有效性，特制定本程序。

2　适用范围

本程序适用于中心标准检测方法和非标准检测方法的选择、使用与管理。

3　职　责

3.1　技术负责人

技术负责人负责确认和批准检测方法执行标准，组织解决检测工作中出现的技术问题，负责维护本程序的有效性。

3.2　质量负责人

质量负责人负责检测方法实施中的质量保证。

3.3　业务管理室

业务管理室负责收集、保存与本监测中心业务相关的检测方法标准，建立检测标准管理档案，对所用标准进行查新和作废。

3.4　检测人员

检测人员应严格执行国家标准和行业标准。

4　程　序

4.1　标准检测方法的选择和使用

4.1.1　本监测中心申请认证的检测参数应尽可能使用以下标准：

(1)国家标准。

(2)水利行业标准。

(3)其他相关行业标准。

4.1.2　本监测中心在申请认证的参数范围内接收委托人的委托检测。

4.1.3　如委托人要求监测中心执行申请认证范围以外的检测标准，技术负责人应与委托人商定，采用委托人推荐或指定的标准方法。

4.1.4　检测人员应熟悉和掌握所承担检测项目的检测方法(方法标准、检测细则或有关资料)、检测步骤、仪器操作规程、仪器状态、环境条件要求、数据计算分析和修约值判定。

4.2 非标准检测方法的选择和使用

4.2.1 对于没有国际、国家、行业、地方标准方法的检测参数，实验室要尽量选择由知名技术组织、有关科技文献或杂志上公布的检测方法。

4.2.2 选择的非标准检测方法应经技术负责人确认。

4.2.3 使用非标准方法进行委托检测时，技术负责人要与委托方协商确认，签订检测协议书(合同)，对检测方法的细节进行详细的描述。

4.3 检测方法的收集和保存

4.3.1 由业务管理室负责收集与本监测中心检测业务有关的检测标准，中心各部门负责人积极协助收集标准。

4.3.2 在用的检测标准每年度由业务管理室资料档案管理人员查新、确认，随时更新，清除作废的标准，标准更新及时通知检测人员。

4.3.3 保存的标准方法原件不得随意借出，如有需要，可借出(或发送)复印件。

4.3.4 检测方法的保存具体按《记录与档案管理程序》执行。

5 相关程序文件

《记录与档案管理程序》(×××××—CX—23—××××)。

文件16　数据控制程序

1 目　的

为确保检测数据的采集、记录和储存，保证数据处理的适用性、完整性、保密性和准确性，特编制本程序。

2 适用范围

本程序适用于本中心与检测数据有关的数据的采集和记录、处理和修约、判定、转移或更正。

3 职　责

3.1 检测人员

(1)认真执行本专业的各项检测标准方法。

(2)按《水环境监测规范》要求认真填写检测记录。

(3)按要求计算和处理检测原始数据。

3.2 数据校核人员

(1)熟悉本专业各种检测方法、标准、原理。

(2)校核原始记录是否按规范要求的格式填写。

(3)测试结果的计算是否有误和有效位数是否按规定的要求修约。

3.3 数据复核、审核人员

(1)对检测资料进行全面的合理性检查。

(2)对检测数据单项评价和检测结果综合评价，进行正确的判断。

(3)对可疑数据提出验证。

4 程　序

4.1 数据的采集和记录

4.1.1　业务管理室根据检测标准，规定每项检测原始数据的记录格式。

4.1.2　监测中心实验室测试人员在测试过程中须同时做好试验原始记录，测试的数据要随时记载在原始记录上，填写内容应符合数据记录要求。

4.1.3　数据记录要求：

(1)检测原始记录应用钢笔或签字笔按规定格式在现场及时填写在原始记录表中，不得记录在纸片或其他本子上再誊抄。

(2)填写记录字迹应端正，内容真实、准确、完整，不得随意涂改。

(3)改正时应在原数据上画一横线，再将正确数据填写在其上方，并加盖检测者印章，数据不得涂擦、挖补。

4.1.4 数据记录的有效位数按以下原则确定。

(1)数据的有效位数取舍执行有效位数使用法则，按所用检测分析方法的最低检出浓度的有效位数确定。测量结果的有效位数字所能达到的数位不能低于方法检出限的有效数字所能达到的位数。

(2)根据计量器具的精度和仪器刻度确定，不得任意增删。

(3)按水质检测资料整汇编办法等有关技术规定执行。

4.1.5 计算机和自动化设备采集与处理的检测数据要随时打印出来，并标记与测试样品相关联的编号，作为检测原始记录保存。

4.1.6 计算机和自动化设备内的数据要随时备份，以防止数据丢失。

4.2 数据的处理和修约

4.2.1 检测人员对采集到的原始数据进行处理，应首先确认使用的物理常数、计算公式、标准曲线等。

4.2.2 数据的计算按以下规则进行：

(1)数据相加减时，其结果的小数点后保留位数与各数中小数最少者相同。

(2)参数相乘、除时，其结果的小数点后保留位数与各数中有效位数最少者相同。

(3)数据的修约只进行一次，计算过程中的中间结果不必修约。

4.2.3 各种测量、计算的检测数据需要修约时，应按国家标准《数值修约规则》(GB8170—87)执行，即数值的取舍按“四舍六入五单双”的原则处理。

4.2.4 在数值计算中，应遵循“先修约、后计算”的原则，拟修约数字应在确定修约位数后进行，其余数据应按修约规则一次修约获得结果，而不得连续多次修约。

4.2.5 所有检测数据必须按规定使用法定计量单位，对于测定平行样的样品，其结果用算术平均值表示。

4.3 数据的判定

4.3.1 可疑数值的处理。

对检测数据的可疑值，应首先进行操作检测，如属操作明显缺陷造成，则该数据应舍弃，如有可能应再取多份水样进行重新测定。可以用下述原则判断数据是否为离群值，然后决定是否剔除。

(1)可疑数值在未断定是异常值时，既不能随意参加平均，也不能任意舍去。

(2)试验中一旦发现明显的系统误差和过失误差，应随时剔除由此产生的数据，但对于即使试验做完仍不能确定哪些数据是离群的，此时应进行离群数据的统计检验(检验一个可疑值，用格拉布斯(Grubbs)检验法；检验一个以上可疑值，用狄克逊(Dixon)检验法；检验多组观测值中精度较差的一组数据，用科克伦(Cochran)检验法)。

4.3.2 对任何舍弃的可疑数据，在记录表中都应将该数据写上，同时应说明舍弃的原因或者所选用的处理可疑数据的统计方法。

4.3.3　可疑数据判定后采取以下步骤来确定或排除测量的可疑因素：

(1)使用国家二级以上的标准物质检查仪器设备的稳定性和准确性。

(2)检查测试方法和步骤。

(3)对已测的样品进行重复测试。

(4)检查环境和所用标准物质的影响。

(5)原始数据的记录和计算。

4.3.4　如果能用以上方法找到原因，质量监督员应向技术负责人提出纠正的建议。纠正措施的实施具体按《出现意外时的反馈和纠正措施程序》执行。

4.4　数据的转移

4.4.1　数据转移过程中不允许进行数据修约、计算和变更。

4.4.2　数据转移后，原始数据要妥善保存，以便核实查证。

4.5　数据的更正

4.5.1　数据的更正是指由于记录错误引起的对数据的更正。

4.5.2　在原始记录中如发生记录错误需要更正，应由原记录人员在错误数据上画一横线，再将正确的数据填写在其上方，不得涂擦、挖补。

4.5.3　校核、复核、审查人员如发现原始记录有误，即便是明显错误也不能自行修改。应通过原始记录填写人查明原因，确认有误后，由原记录人按规定更改，然后重新履行校核、复核手续。

4.5.4　如需对已发出的检测结果数据进行更正，则按《检测报告的编制和管理程序》执行。

5　相关程序文件

(1)《检测报告的编制和管理程序》(×××××—CX—25—××××)。

(2)《出现意外时的反馈和纠正措施程序》(×××××—CX—05—××××)。

文件17 计算机及计算机软件管理程序

1 目 的

为保证计算机设备功能良好，在承担检测任务时能正常、安全地运转，并保护数据的完整性和安全保密性，特制定本程序。

2 适用范围

本程序适用于计算机进行数据采集、处理、运算、记录、报告、储存和检索的全过程。

3 职 责

3.1 技术负责人

技术负责人负责本程序执行的组织和监督。

3.2 仪器室

仪器室负责编报计算机购置、维修计划。

3.3 计算机使用人员

计算机使用人员负责本程序的执行。

4 程 序

4.1 计算机的使用

4.1.1 严格执行计算机开关机顺序，不使用时及时关闭全部电源。

4.1.2 使用人员不得私自安装、卸载系统软件或应用软件和擅自修改或更换硬盘的操作系统，以免造成人为的混乱和不兼容。计算机的操作系统升级、硬盘格式化、应用软件的更换等应由仪器室负责实施。

4.1.3 应用计算机和自动化设备进行检测时，使用人员不得在检测过程中离开检测现场，要坚守岗位直至检测结束。

4.1.4 由计算机联机控制的测量仪器，检测人员应熟悉操作程序，严格按照规定进行操作，检测人员在工作前后应检查计算机和分析仪器的状况以及软件运行是否正常，如有异常现象应停止工作，并采取必要措施。

4.1.5 由计算机控制的测量仪器，其随机提供的软件应保证采集数据的完整性和数据处理的正确性，由技术负责人批准方可投入使用。

4.1.6 用于实验室检测的计算机应配备不间断电源，防止数据丢失。

4.1.7 对用于检测数据的采集、处理、运算、记录、报告、储存或检索的计算机应用软件应编制相应的操作规程，使用人员应严格按操作规程进行操作。计算机系统软件、资料由仪器室管理，专业技术应用软件、资料由资料档案管理人员统一管理。

4.2 计算机的维护保养

4.2.1 计算机应放置在保证其正常工作和保证检测数据完整性的环境条件下，具体按《检测环境的建立、控制和维护程序》执行。

4.2.2 计算机出现故障时，使用人员应及时通知仪器室进行维修，并做维修记录，未经仪器室许可，不准随便拆卸计算机。

4.2.3 使用人员应经常做保洁工作，保持计算机设备正常工作必需的环境条件。

4.2.4 使用人员应做好计算机设备的维护，保证其功能正常。

4.3 计算机的安全保密

4.3.1 计算机和自动化设备应制定相应的操作规程，使用人员应严格按操作规程进行操作。

4.3.2 监测中心内计算机和自动化设备只允许本中心内部人员进行操作，计算机和自动化设备责任人对数据的完整及安全保密负有责任。非授权人员不得上机操作。

4.3.3 使用人员只准用硬盘或工作磁盘进行与工作有关的操作，严禁使用外来磁盘以及进行与工作无关的操作。

4.3.4 计算机必须装载病毒防治程序，仪器室应及时对杀毒软件进行升级，升级后运行杀毒程序进行检查，并注意切断计算机感染病毒的通道。在线采集、计算、储存数据的计算机，不允许上网。

4.3.5 应用计算机数据处理程序时，使用人员应设置登录密码并妥善保存，完成操作后，立即退出应用程序，防止非授权人员接触和修改数据，以保证数据的完整、机密。

4.3.6 责任部门负责人应对不同类别的文件分别建立不同的子目录，对需要保密的文件应加密，以达到文件的完整性和安全保密性的目的。

4.3.7 仪器室应注意对计算机的软件系统进行定期维护，做好重要文件和数据的备份工作。日常工作时产生的重要文件和重要数据应当及时做好备份。文件、数据备份在不同计算机上，存放备份数据的介质(如磁盘、光盘)必须异地存放，以防重要文件和数据的丢失、损坏。

4.3.8 用于控制测量仪器的计算机，其软件和数据应采取保护和保密措施，无关人员不得接触应用软件和分析数据，未经授权不得修改，必要时应对分析数据和应用软件采用加密技术。

5 相关程序文件

《检测环境的建立、控制和维护程序》(×××××—CX—11—××××)。

文件18　开展新检测项目评审程序

1　目　的

为了对根据中心检测工作发展需求而新开展的检测项目实施控制，以保证新开展检测项目有足够的设施和资源，有可靠的质量保证体系，符合有关规定的要求，特制定本程序。

2　适用范围

本程序适用于本监测中心新开展项目的控制。

3　职　责

3.1　监测中心主任

监测中心主任负责新检测项目的评审和批准。

3.2　技术负责人

技术负责人负责提出新检测项目的建议并组织策划。

3.3　业务管理室

业务管理室协助技术负责人组织相关部门和相关人员进行项目评审，负责所有文件和记录的保存与归档。

3.4　实验室

实验室负责新项目、新方法的验证与实施。

4　程　序

4.1　开展新检测项目策划

4.1.1　技术负责人根据检测发展趋势或委托方要求，按照本中心检测业务开展的需要及所具备的能力，向中心主任提出开展新检测项目的建议。

4.1.2　新检测项目负责人根据所建议的新检测项目的特点和复杂程度编写项目策划，提交中心技术负责人审核。

根据新开展检测项目的特点，监测业务室协助技术负责人组织相关部门和相关人员进行评审；项目负责人根据评审意见修改项目策划，交中心技术负责人审核修订后报中心主任。中心主任批准后项目成立。

4.1.3　项目策划应考虑以下内容：

(1)开展该项目检测的市场需求和发展趋势。

(2)开展该项目的技术要求和发展趋势。

(3)检测人员是否已确定，是否要重新进行培训。

(4)已经具备的仪器设备、标准物质等条件及需要引进哪些新的仪器设备、标准物质和新的采购需求。

(5)分析实验室环境条件等是否已达到要求。

(6)是否需要编制质量计划。

(7)是否需要增加检测标准、检测方法、编制新的作业指导书和新的记录表。

(8)涉及的国家法律、法规、标准等的适用性。

(9)总的经费投入预算。

(10)完成上述工作，使新检测项目投入运转的时间进度。

4.2 新检测项目的质量计划

4.2.1 开展新检测项目的实验室负责根据策划结果编制项目质量计划。

4.2.2 质量计划至少应包含以下内容：

(1)具体检测项目(或检测参数)的名称、检测内容和要求。

(2)阶段顺序及涉及的人员、分析实验室和仪器设备。

(3)每项内容执行的依据(标准、规程、检测方法、程序文件、作业指导书和记录表等)。

(4)监督点及监督要求(必要时)。

(5)检测结果的评价。

(6)其他可能涉及到的每一阶段的资源等。

4.3 新检测项目的评审

4.3.1 新检测项目质量计划完成后，由中心主任组织对新项目进行评审，评审内容至少包括以下几个方面：

(1)检测目的、范围是否恰当、明确。

(2)检测的环境条件及设施、供应服务等是否得到保障。

(3)检测方法标准、作业文件是否适当、完备可用，操作程序是否正确。

(4)仪器设备是否完成检定和检验，其中计量器具的量值溯源(验证)是否明确、可靠。

(5)人员的培训工作是否已完成，能否熟练、规范操作。

(6)检测工作的上岗人员是否已确定，是否具备应有的资格和能力。

4.3.2 中心技术负责人根据评审结果写出“开展新检测项目评审报告”，并报中心主任批准。

4.3.3 新项目批准后，由业务管理室列入中心检测能力表范围，报上级计量办公室，提出计量认证扩项申请。

5 相关程序文件

《记录与档案管理程序》(×××××—CX—23—××××)。

文件 19　样品的管理程序

1　目　的

检测样品的代表性、有效性和完整性将直接影响检测结果的准确度，因此必须对样品的采集、运输、接收、流转、贮存、处置及样品的识别等各个环节实施有效的质量控制。

2　适用范围

本程序适用于本监测中心实验室检测样品的采集、运输、接收、流转、贮存、处置、识别等工作的管理。

3　职　责

3.1　业务管理室

业务管理室负责下达检测任务书，受理对外检测样品。

3.2　综合室

综合室负责野外样品采集、保存、运输。

3.3　实验室负责人

(1)根据任务书向综合室下达采样通知单。

(2)负责对样品的管理情况进行监督，并配合质量负责人对样品管理要素进行审核。

3.4　样品管理员

(1)负责记录接收到实验室样品的数量、状态。

(2)遵照质控要求做好样品的标识以及样品接收、流转、贮存、处置过程中的质量保证。

3.5　实验室检测人员

实验室检测人员应对测试、传递过程中的样品加以防护。

4　程　序

4.1　样品的接收与领用

4.1.1　常规监测业务样品接收与领用。

(1)采样任务书下达。

①业务管理室负责下达采样任务书，质量负责人下达外部质量控制措施，综合室根据采样通知书要求安排人员、车辆进行采样，样品管理员根据采样任务单和外部质控要求按断面进行采样器具、采样保存试剂、现场测试仪器(已校准好)的准备。

②实验室负责人(或主任工程师)、采样人员对准备工作进行核对。

(2)样品的采集。

采样人员按《水环境监测规范》和《采样技术规定》(作业指导书)进行采样，并做好采样的现场记录工作，内容包括采样断面、时间、气温、水温、流量、pH 值(现场测试)及样品保存情况、样品采集数量等。

(3)样品的接收与领用。

由样品管理员对采回的样品逐一验收，并在采样记录单和样品交接单上签名。应将检测样品分为测试样品和保留样品，并加贴“测试样品”标识和“保留样品”标识，以确保检测样品在测试及贮存过程中不会发生混淆和随意调用。样品管理员、检测人员应注意填写样品领用、返库、处理登记表。

4.1.2　委托检测的样品接收与领用。

(1)检测样品由业务管理室统一受理，在接收委托人送检样品时，应根据委托人的检测需求，认真清点样品，并按要求填写检测委托书(协议)，由综合室盖章。业务管理室根据检测委托书(协议)填写委托样品接收单、检测任务单并下发质控措施，将样品和检测任务通知单以及质控措施下达实验室。

(2)样品移交实验室后，样品管理员对样品进行接收管理和贮存，同时填写委托样品接收单，实验室负责人根据检测任务通知单以及质控措施通知，安排人员对样品进行检测，并实施检测工作监督，样品管理员、检测人员应注意填写样品领用、返库、处理登记表。

4.1.3　分包样品的余样接收。

样品到分包单位测试后，剩余样品交回样品管理员保存。

4.2　样品的识别

4.2.1　样品管理员对样品进行编号、登记，样品的编号应遵照“唯一性原则”实施。

4.2.2　样品所处的检测状态，用“测试样品”、“保留样品”标签加以识别。

4.2.3　测试样品标识的内容包括样品名称、样品编号、报验号、样品状态、检测状态、保存条件、保存期接样人、接样日期。

4.2.4　保留样品标识的内容包括样品名称、样品编号、报验号、样品状态、保存条件、留存期留样人、留样日期。

4.3　样品的贮存

4.3.1　样品由样品管理员专人负责并贮存在样品室，标识清楚、准确。样品贮存环境应安全、无腐蚀、清洁干燥且通风良好。

4.3.2　不同的测试参数对样品保存的条件有不同的要求，采样人员、样品管理员应根据具体要求指导对样品进行技术处理。

4.3.3　测试样品的保存期限一般按“测试样品标识”的保存期进行保存。特殊样品的保存期可适当延长。

4.3.4　保留样品应按不同样品性质和保存条件分别在不同的环境中保存。

4.4　样品的处置

4.4.1　保留样品的保留时间不得少于检测报告的申诉期限(15 天)，超过保存期方可处置。

4.4.2 超过保存期的检测样品，样品管理员应及时填写样品处置申请，经实验室主任审核，报中心主任批准后统一组织弃置处理。检测样品处置记录，应及时归档保存。

4.4.3 对有毒样品的处置应按《试剂、危险品管理程序》进行处理。

4.5 样品的保密

实验室应按与委托人签订的协议或有关规定进行样品的检测、贮存和处置。对样品的保密要求按《保护委托人机密信息和所有权程序》执行。

4.6 样品回测

检测完成的样品，可在保存期内组织一次回测抽查，抽查时要打乱编号，抽查率(项目)不低于 30%。

5 附表及相关程序文件

(1)《保护委托人机密信息和所有权程序》(×××××—CX—24—××××)。

(2)《试剂、危险品管理程序》(×××××—CX—22—××××)。

(3)《水环境监测规范》(SL219—98)。

(4)《采样技术规定》(作业指导书)。

(5)监测中心样品交接单见表 19-1。

(6)监测中心样品领用、返库、处理登记表见表 19-2。

(7)采样任务通知单见表 19-3。

(8)采样记录单见表 19-4。

(9)委托样品接收单见表 19-5。

(10)检测委托协议书见表 19-6。

(11)委托样品检测任务通知单见表 3-1

(12)质控任务通知单见表 3-2。

(13)水质监测任务通知单见表 3-3。

表 19-1 ×××××水环境监测中心样品交接单

文件编号：×××××—CX—19—××××(No.1)

<table>
<tr><td rowspan="2">采样断面</td><td colspan="4">样 品 种 类</td><td rowspan="2">送样人／时间</td><td rowspan="2">收样人／时间</td></tr>
<tr><td>原状水</td><td>DO</td><td>H_2SO_4</td><td>HNO_3</td></tr>
<tr><td></td><td></td><td></td><td></td><td></td><td></td><td></td></tr>
<tr><td></td><td></td><td></td><td></td><td></td><td></td><td></td></tr>
<tr><td></td><td></td><td></td><td></td><td></td><td></td><td></td></tr>
<tr><td></td><td></td><td></td><td></td><td></td><td></td><td></td></tr>
<tr><td>备注</td><td colspan="6"></td></tr>
</table>

表 19-2　×××××水环境监测中心样品领用、返库、处理登记表

文件编号：×××××—CX—19—××××(No.2)

样品名称	样品数量	领用人／日期	返库人／日期	处理人／日期	处理方式
原状水					
DO					
H_2SO_4					
HNO_3					

表 19-3　×××××水环境监测中心采样任务通知单

文件编号：×××××—CX—19—××××(No.3)

<table>
<tr><td rowspan="7">通知单位填写</td><td>通知单位</td><td colspan="3"></td></tr>
<tr><td>通知单位负责人</td><td colspan="3"></td></tr>
<tr><td>采样时间</td><td></td><td>完成时间</td><td></td></tr>
<tr><td>任务性质</td><td colspan="3"></td></tr>
<tr><td>样品类型</td><td colspan="3"></td></tr>
<tr><td>采样断面</td><td colspan="3"></td></tr>
<tr><td>技术要求及野外质控</td><td colspan="3"></td></tr>
<tr><td rowspan="3">办公室填写</td><td>负责人</td><td></td><td>接收日期</td><td></td></tr>
<tr><td>采样人员</td><td></td><td></td><td></td></tr>
<tr><td>驾驶员</td><td></td><td></td><td></td></tr>
<tr><td>备注</td><td colspan="4"></td></tr>
</table>

表 19-4　×××××水环境监测中心采样记录单

文件编号：×××××—CX—19—××××(No.4)

水系：　　河名：　　断面名称： 地址：　　省(区)　　县(市)　　乡(镇)　　村		
采样方法：	水位：　　(米)	流量：　　(米^3/秒)
水面宽：　　米		水深：左　中　右　(米)　气温：　℃
水温：左　中　右　℃		pH 值：左　中　右

水样现场处理	位置		项目																			
			溶解氧				酚、氰				重金属				砷、油类				硫化物			
	垂线		左	中	中	右	左	中	中	右	左	中	中	右	左	中	中	右	左	中	中	右
	瓶号	上																				
		下																				
	处理方法																					
	位置		项目																			
			阴离子洗涤剂				原状水				细菌				BOD_5							
	垂线		左	中	中	右	左	中	中	右	左	中	中	右	左	中	中	右	左	中	中	右
	瓶号	上																				
		下																				
	处理方法																					

污染现象观察：(色、嗅)	备注：

采样人：　　　　收样人：　　　　年　　月　　日

表 19-5　×××××水环境监测中心委托样品接收单

文件编号：×××××—CX—19—××××(No.5)

送检单位	名称				
	详细地址				
	邮编		电话		送样时间	
检验目的	①委托 □　②抽查 □　③许可证 □　④仲裁 □　⑤其他 □				
检验项目					
检验依据	①现行国标、行标 □　②企标 □　③国际或国外标准 □　④其他 □				
原编号	采样时间	样品名称	采样地点	采样人	数量
备注：					
送检人(签字)： 年　月　日			收办人(签字)： ×××××监测中心(盖章) 年　月　日		

表 19-6　×××××水环境监测中心检测委托协议书

文件编号：×××××—CX—19—××××(No.6)

________(甲方)委托×××××监测中心(乙方)对____样品按照下述要求进行检测，乙方自接到样品之日起________天内向甲方提交检测报告，并对检测结果负责，甲方应预付经费_____ %，并在接到分析测试结果报告后，即向乙方支付检测费用。本协议一式两份，甲、乙双方各持一份，两份具有同等效力。

检测单位		样品数量	
检测依据			
检测项目			
委托方要求			
备　注			
按照 核算，检测费用为　万　仟　佰　拾　元　角　分			

甲方：　　　　　　　　　　乙方：×××××监测中心
代表：　　　　　　　　　　代表：
(签字有效)　　　　　　　　(盖章)
年　月　日　　　　　　　　年　月　日

文件20　抽样管理程序

1　目　的

为确保检测样品的完整性、有效性和代表性，对样品的抽样过程实施有效控制，特编制本程序。

2　适用范围

本程序适用于抽样工作的全过程。

3　职　责

3.1　业务管理室

业务管理室负责下达抽样任务。

3.2　实验室

实验室负责抽样工作的实施。

3.3　资料档案管理员

资料档案管理员负责对抽样过程中所有记录的存档。

4　程　序

4.1　抽样任务的下达

业务管理室根据年度检测计划和委托方的要求，对需要进行现场抽样的，负责下达抽样任务。

4.2　抽样的实施

4.2.1　实验室接到任务后，负责组织人员进行抽样。必须有两人以上人员同时到达现场开展抽样工作。

4.2.2　抽样人员应按照相应的标准和统计技术确定抽样数量与方法。

4.2.3　抽样人员抽样时应有被检单位人员在场，并在样品接收单上详细记录样品的主要信息，建立样品编号。

4.3　抽样样品的接收

4.3.1　抽样结束后，抽样人必须及时与样品管理员办理移交登记手续，样品管理员要按照样品登记单内容，仔细核对样品，确认无误后接收样品，具体按照《样品的管理程序》执行。

4.3.2　样品管理员对无正式抽样手续、样品损坏、抽样出错的样品，应退回抽样人员并要求重新抽样。

4.4 抽样记录的存档

抽样样品交接完成后，将抽样任务单和样品接收单存档备查。

5 相关程序文件

《样品的管理程序》(×××××—CX—19—××××)。

文件21　现场检测管理程序

1　目　的

为了规范现场检测工作，确保检测质量，特编制本程序。

2　适用范围

(1)对突发性水污染事故实施的全程跟踪监测。

(2)对特定断面水质开展例行监控性监测。

(3)对重点排污口进行的监督监测。

(4)对水污染纠纷开展的调查性监测。

3　职　责

3.1　监测中心主任

监测中心主任负责组织、协调检测活动。

3.2　技术负责人

技术负责人参与协调检测活动，审核信息资料发布，负责维护本文件的有效性。

3.3　质量负责人

质量负责人根据检测活动的要求，下达质量控制措施，保证监测质量。

3.4　业务管理室

业务管理室负责现场检测任务(单)的下达、资料接收、编写跟踪监测和调查报告、信息发布。

3.5　实验室

实验室负责现场测试的组织和实施，试验用品的储备、保管，全程跟踪检测、记录等。

3.6　综合室

综合室负责车辆调度以及后勤保障，实施样品采集。

4　程　序

4.1　现场检测准备

4.1.1　携带仪器到现场进行检测时，在运输过程中应将仪器放置在稳定的包装盒内，避免晃动、震荡和损坏。

4.1.2　到达现场后，应将仪器放置于稳定、水平的工作台上。

4.1.3　如果作业现场存在可能危害人员作业安全的因素，现场测试负责人应督促检测人员实施防护措施，达不到要求的应停止作业。

4.2 现场检测环境要求

4.2.1 对测试现场的电源电压、灰尘、震动实行严格的控制。

4.2.2 在测试过程中产生有害气体的，测试房间应有通风排气系统。

4.2.3 在现场测试过程中，应避免对当地的环境造成污染，所使用的试剂、处理过的样品应妥善处理。

4.3 采取隔离措施

相邻区域的工作存在干扰时，应采取有效的隔离措施。

4.4 现场检测

4.4.1 常规检测：易变项目和其他必须现场测试的工作由采样人员负责完成。

4.4.2 应急检测：实验室应急检测组应根据现场检测工作的要求，及时准备仪器设备、试剂和其他物品并立即赶赴现场，开展现场检测工作。

4.5 检测报告的提交、整理和信息的发布

4.5.1 检测人员分析结束后立即填写现场检测记录表，以电话或电子邮件的形式及时发送至业务管理室。

4.5.2 业务管理室负责对污染的情况进行分析、判断、评价，检测评价结果报技术负责人审核、监测中心主任审定后，上报有关部门。

4.5.3 业务管理室根据调查和跟踪的检测结果，编制突发性污染事故调查处理报告，由技术负责人审核、监测中心主任审定后，上报有关部门。

4.5.4 现场检测获得的原始资料以及检测分析评价报告应及时整理交业务管理室存档，以备对比、查阅。未经主管领导批准不得私自对外转借、公布。

5 附表及相关文件

(1)现场检测作业指导书。

(2)现场检测记录表见表 21-1。

(3)水质监测任务通知单见表 3-3。

表 21-1 ×××××水环境监测中心现场检测记录表

文件编号：×××××—CX—21—××××(No.1)

样品名称	测试项目	含量(mg/L)	测试人	测试时间

文件 22　试剂、危险品管理程序

1　目　的

为保证实验室安全正常运转，对一般化学试剂，有毒、腐蚀性的化学试剂和易燃、易爆、剧毒危险品建立严密的安全保障措施，特制定本程序。

2　适用范围

本程序适用于实验室化学试剂和危险品的采购、保管及使用全过程。

3　职　责

3.1　监测中心主任

监测中心主任负责对化学试剂和危险品申购计划的审批。

3.2　技术负责人

技术负责人负责组织化学试剂和危险品申购计划的审核。

3.3　实验室负责人

实验室负责人负责制定化学试剂和危险品申购计划及实施采购。

3.4　物资管理员

物资管理员负责对购买的化学试剂、危险品进行统计、验收、保管、登记。

4　程　序

4.1　试剂、危险品的采购

4.1.1　检测人员将所需消耗化学试剂和危险品的品名、规格、类别、数量等参数报物资管理员处，物资管理员进行统计整理，填写化学试剂申购计划表，经实验室负责人审批签字后进行统一采购。

4.1.2　剧毒危险品的采购，需经技术负责人审核，监测中心主任审批、签字、盖章，并报有关部门审查后，按有关规定购买，实验室应至少派两人持申购表进行采购。

4.1.3　在采购剧毒危险药品时，应严格按安全注意事项进行。

4.2　试剂、危险品的验收和保管

4.2.1　化学试剂和危险品由物资管理员进行验收登记，验收登记后移送仓库予以保管。物资管理员应将药品分类存放、摆放整齐、标识清楚，注意仓库内的通风、遮光、防火、防水等，无关人员不得进入仓库。

4.2.2　剧毒危险品应存放在保险柜内，保险柜钥匙、密码分别由实验室负责人和物资管理员掌握，实行双人双锁管理。

4.2.3 高压气瓶统一存放在专用房间，远离热源、火源，避免暴晒及强烈震动，以免因温度升高而使气瓶内气压增大，引起爆炸。

4.3 试剂、危险品的领用

4.3.1 检测人员需要领用一般化学试剂时，经实验室负责人批准后，可直接到物资管理员处登记领用。

4.3.2 检测人员需要领用危险品时，由实验室负责人审批同意后领用。应到物资管理员处办理领用危险品手续，并在危险品管理登记表上签字。领用的危险品由检测人员保管。

4.3.3 检测人员领用剧毒危险品时，应有实验室负责人、物资管理员、检测人员三人同时在场。

4.3.4 实验室负责人和物资管理员应对剧毒危险品进出数量做到心中有数，物资管理员在剧毒危险品管理登记表上分类详细记录剧毒危险品的进出数量，并应保管好，做到进出有据可查、账物相符。

4.4 试剂、危险品的使用

4.4.1 检测人员在使用化学试剂及剧毒危险品时，应严格按照规定的操作程序进行使用，检测期间的危险品由检测人员保管；检毕危险品应进行无公害化处理，不得污染环境，处理方法参照作业指导书。

4.4.2 检测人员在稀释或使用剧毒危险品时，应有两人同时在场。未经批准，任何人不得向其他单位和个人提供剧毒危险品。

5 附表及相关程序文件

(1)化学试剂申购计划表见表 22-1。

(2)一般化学试剂领用登记表见表 22-2。

(3)剧毒试剂领用登记表(一式两份)见表 22-3。

(4)作业指导书。

表 22-1 ×××××水环境监测中心化学试剂申购计划表

文件编号：×××××—CX—22—××××(No.1)

序 号	试剂名称	试剂类别	规格	数量	生产厂家

填写人： 年 月 日 审批人： 年 月 日

表 22-2　×××××水环境监测中心一般化学试剂领用登记表

文件编号：×××××—CX—22—××××(No.2)

试剂名称	试剂类别	规格	领用数量	领用时间	领用人	保管员

表 22-3　×××××水环境监测中心剧毒危险品领用登记表

文件编号：×××××—CX—22—××××(No.3)

<table>
<tr><td rowspan="2">试剂名称</td><td rowspan="2"></td><td>领用时间</td><td></td></tr>
<tr><td>领用出库量</td><td></td></tr>
<tr><td rowspan="2">领用人</td><td></td><td>配制称重量</td><td></td></tr>
<tr><td></td><td>剩余入库量</td><td></td></tr>
<tr><td rowspan="2">负责人签字</td><td rowspan="2"></td><td rowspan="2">保管员</td><td></td></tr>
<tr><td></td></tr>
</table>

注：剧毒试剂领用登记表一式两份，分别由保管员和领用人留存。

文件 23　记录与档案管理程序

1　目　的

为保证对检测活动的再现、验证和追溯，确保本监测中心所有的检测记录、质量记录和技术档案管理得到有效控制，特制定本程序。

2　适用范围

本程序适用于本监测中心各种质量活动和检测记录的控制，以及技术档案的管理。

3　职　责

3.1　监测中心主任

(1)负责批准个人技术业绩档案的查阅。

(2)负责批准与检测有关的技术记录和档案的借阅、复制、销毁。

3.2　技术负责人

(1)负责组织建立监测中心的全部业务技术记录和档案。

(2)审查与检测有关的技术记录和档案的借阅、复制、销毁。

(3)负责维护本文件的有效性。

3.3　质量负责人

质量负责人负责监督与质量活动有关的记录和档案的查阅、复制、销毁。

3.4　综合室

综合室负责个人技术业绩档案和科技档案的管理。

3.5　业务管理室

业务管理室负责检测原始记录、检测报告、整汇编成果、技术标准、规范等技术档案和质量体系文件及运行记录，以及分包、反馈、申诉和处理记录的管理与归档。

3.6　实验室

实验室负责仪器设备和消耗材料采购有关方面的记录，以及检测原始记录、比对、验证试验记录的管理。

3.7　仪器室

仪器室负责仪器设备维修、维护记录、校检记录及其档案资料的管理，负责计算机运行维护、维修记录的归档管理。

3.8　资料档案管理员

(1)管理和保存各类档案。

(2)办理借阅手续，监督和收集有关记录。

3.9 监测中心检测和管理人员

监测中心检测、管理人员在检测工作中应按规范和规定认真记录活动的过程及数据。

4 程 序

4.1 记录

4.1.1 记录是监测中心进行检测行为的如实记载，全体员工应在检测活动中认真填写和记录有关的过程和数据，不允许随意涂改，更不允许删除。

4.1.2 检测记录是出具检测报告的依据，是最主要的检测过程记录，为了保证能再现检测活动的全部过程，记录应包含足够的信息。

4.1.3 检测记录格式执行《水环境监测规范》(SL219—98)上所规定的格式。原始记录要有记录填写人、校核、复核等人员签名，签名不能用印章代替。原始记录发现错误，要由记录填写人修改，校核、复核等人员不能代为修改。

4.1.4 所有的检测记录书写时应使用黑色钢笔或签字笔，填写完整、规范，字迹清晰，内容真实，不得漏记、补记、追记、任意涂改。必须改正时，应在原数据上画一横线，再将正确数据填写在其上方，加盖记录者印章，不得涂擦、贴补。

4.1.5 检测过程中所发生的问题和异常现象，应在备注栏内注明。检测工作完毕，应及时进行合理性审查，及时处理异常数据，决定是否复测。

4.1.6 记录数据的处理按《数据控制程序》执行。

4.1.7 所有记录均要保存良好并归档，便于查阅，防止丢失和损坏。

4.2 档案分类管理

4.2.1 历年流域监测成果档案，近5年的监测原始记录。

4.2.2 监测中心机构设置和人员培训考核记录文件档案。

4.2.3 质量体系文件档案。

(1)《质量手册》。

(2)《程序文件》。

(3)各类作业指导书。

(4)《管理制度》。

4.2.4 各项质量活动计划和记录档案。

(1)检测任务计划。

(2)人员培训计划。

(3)各种质量活动计划。

(4)认证申请材料和记录。

(5)内部质量控制方案和实施结果记录。

(6)样品管理档案。

(7)对外检测报告和原始记录档案。

(8)处理委托人抱怨的记录。

4.2.5 有关技术档案。

(1)仪器设备和标准物质档案。

(2)检测标准、规范档案。

(3)计算机软件档案。

4.2.6 人员档案。

4.2.7 科技档案。

4.3 档案的收集保存

4.3.1 资料和档案的保存应注意防霉、防虫蛀，磁盘记录文件保存应遵守《计算机及计算机软件管理程序》。

4.3.2 个人技术业绩档案和科技档案由综合室负责收集，中心人员应主动及时地提供，个人技术业绩档案属永久保存档案，不做销毁处理。

4.3.3 检测原始记录由实验室负责收集，年度资料会审验收合格后交业务管理室保存，保存期限为10年。汇编成果资料永久保存。

4.3.4 国家、部门、地区关于环境监测及管理工作的政策、法令、文件、法规和规定、环境质量标准、各种污染物排放标准、环境分析方法、标准、规范、图书、技术报告、评价报告、技术文件等检测技术资料保存至失效为止。

4.3.5 仪器设备和标准物质的申购、验收记录，仪器设备档案及运行记录，检定核准证书保存至仪器设备和标准物质报废为止。

4.3.6 质量体系文件由业务管理室负责收集、整理、保存。质量体系文件应保存至失效为止。质量体系运行记录、质量活动记录，包括审核和评审所用的表格、记录等，一般保存5年。有价值的技术文件档案，可以延长保存期直至完全失效为止。分包检测中的分包能力调查资料，与分包方签订的分包协议或合同，保存期为5年。质量文件、记录和档案贮存及保管应与其他文件以及书刊实施隔离。

4.3.7 技术资料归档应统一编号，字迹清楚，标志牢固清晰，并填写资料索引卡片。

4.4 档案的查阅和审核

4.4.1 查阅个人技术业绩档案，需经监测中心主任签字同意；查阅与质量活动有关的技术档案，需经质量负责人签字同意；查阅检测和仪器设备类的技术档案，需经技术负责人签字同意。

4.4.2 任何人借阅资料，必须填写档案和资料借阅登记表，履行登记手续。

4.4.3 质量负责人要求审核档案记录的，资料档案管理员应按质量负责人的要求提供所需的档案记录，并办理档案审核登记手续。审核结束，办理归还手续。

4.4.4 技术档案中通报、公报、年报等对外发布的资料及标准、图书等技术资料的借阅，可直接到业务管理室办理登记手续，使用其他资料必须填写技术资料提供审批表。

4.5 档案的复制和修补

技术档案应安全存放、妥善保管，对损坏和变质的档案资料，应及时修补和补充。对于重要的技术档案，如需进行复印和复制，必须征得有关负责人同意。

4.6 档案的销毁

资料档案管理员根据登记档案记录的时间和序号，每年年底清理超过保存期的档案，并填写档案销毁记录表，经有关负责人签字同意后，由资料档案管理员负责销毁，并在销毁记录表上填写销毁人姓名和销毁日期。档案销毁时应有人监督销毁，防止失密。销毁记录单应保存 10 年，10 年后，由管理员自行处理。

4.7 档案的保密

4.7.1 资料档案管理人员必须严格执行档案接收、管理和借阅制度，认真履行登记、签字手续。

4.7.2 接触档案的人员应遵守有关保密规定。任何人未经批准，不得随意复印、摘抄、发布档案内容。

4.7.3 检测原始记录和检测报告属于保密文件，借阅检测报告和原始记录需执行《保护委托人机密信息和所有权程序》。

4.7.4 资料管理人员的钥匙由本人保管，不得随便交给他人。

5 相关程序文件及附表

(1)《数据控制程序》(×××××—CX—16—××××)。

(2)《保护委托人机密信息和所有权程序》(×××××—CX—24—××××)。

(3)档案和资料借阅登记表见表 23-1。

(4)技术资料提供审批表见表 23-2。

(5)档案销毁记录表见表 23-3。

表 23-1 ×××××水环境监测中心档案和资料借阅登记表

文件编号：×××××—CX—23—××××(No.2)

资料类别	资料名称	借阅人	借阅时间	资料密级程度	归还日期	保管人	批准人	备注

表 23-2　×××××水环境监测中心技术资料提供审批表

文件编号：×××××—CX—23—××××(No.1)

申请人		单位		日期	年　月　日
索要资料内容：					
资料用途：					
技术负责人审批意见： 签名：　　年　月　日					
监测中心主任审批意见： 签名：　　年　月　日					
经办人记录： 1．提供资料的名称： 2．提供资料的编号： 3．提供资料的类型：书面文件 磁盘文件 4．是否进行了复制、摘录 经办人：　　年　月　日					
声明：索要资料单位未经我单位同意，不得将其转让、出版、刊印或用于以营利为目的的活动					

表 23-3　×××××水环境监测中心档案销毁记录表

文件编号：×××××—CX—23—××××(No.3)

档案名称	编号	等级	规格	销毁量	销毁日期	批准人	销毁人	监督销毁人	备注

文件 24　保护委托人机密信息和所有权程序

1　目　的

为了保护委托人机密信息和所有权，特编制本程序。

2　适用范围

本程序适用于本监测中心受理为委托人提供检测服务的全过程。

3　职　责

3.1　监测中心主任

监测中心主任负责落实保护委托方机密信息和所有权的各项措施所需资源。

3.2　技术负责人

(1)对各项保密措施的实施进行监督检查。

(2)负责维护本文件的有效性。

3.3　质量负责人

质量负责人负责组织实施保护委托人机密信息和所有权的程序。

3.4　业务管理室

(1)做好委托人样品接收工作，了解委托人对样品保密的要求。

(2)做好检测报告发送中的保密工作。

3.5　实验室

实验室负责做好检测过程中样品及资料的保密工作。

3.6　资料档案管理员

(1)按照本程序的要求做好技术文件的编号和保管。

(2)对有保密要求的文件和资料实行专柜保存。

(3)防止保密文件丢失、虫蛀和随意借阅。

3.7　样品管理员

样品管理员应做好样品和资料的传递交接记录。

3.8　其他有关人员

其他有关人员应自觉遵守监测中心的保密工作程序。

4　程　序

4.1　保护委托人机密信息

4.1.1　业务管理室在接受委托人委托的检测任务时，接待人员要认真记录委托人对样品检测结果的保密要求，对委托人需要保密的技术资料(含版权、商标权、专利权等法律承认的各种所有权形式等)，业务管理室应指导委托人在委托样品接收单上注明，然后在委托样品检测任务通知单上标明“保密”字样。

4.1.2 在样品保管室内应建单独的保管区贮存保密样品，存放在该区的样品应严格保管。

4.1.3 检测过程中，保密样品和技术资料由检测人员保管，无关人员未经许可，不得随意参观。检测结束后，应将样品与技术资料及时移交给样品管理员和业务管理室。

4.1.4 委托人所有的资料在检测传递过程中，业务管理室和实验室负责人、检测人员、检测报告编制人、校核人、复核人、质量负责人、技术负责人要妥善保管，其他无关人员不得查阅，未经委托人同意不得擅自复制委托人的保密资料，在有其他客户参观实验室时，检测人员应注意对检测数据和资料的保密。

4.1.5 检测人员及其他有关人员不得向其他单位或其他人员透露或变相透露保密范围内的内容(含未经公布的检测结果或其他不能公布的内容)，如有违反，追究其行政和经济责任，造成不良后果的应严加处理。

4.1.6 如委托人要求用电话、传真或电子邮件方式传送检测报告，业务管理室的经办人应详细询问、核实对方的身份，要求对方提供与检测有关的详细信息，并记录对方的电话号码、传真号码、电子信箱地址、联系人，以确保发送报告的安全和可靠。传送时应保留传输内容正本，登记传输日期和人员名称。

4.1.7 监测中心向委托人出具的检测报告，员工根据需要可借阅，借阅时必须向监测中心主任提出申请，经过批准后，方可在资料室阅读，不允许将资料带离资料保存现场。

4.2 保护委托人所有权

4.2.1 业务管理室在接受委托人委托的检测任务时，向客户出具委托样品接收单，以明示客户对样品的所有权。

4.2.2 需分包检测时，业务管理室应事先就分包一事征得委托人的同意，并在委托样品接收单和委托样品检测任务通知单上注明，然后才可分包检测。分包实验室也必须为委托人保守秘密，对违反要求的分包实验室，本监测中心将取消其分包资格，并追究其相应的责任。

4.2.3 对于不能用于检测或检测有疑问的样品，业务管理室应及时与委托人取得联系，向委托人明确表达送检样品所要达到的要求，并协商退回原样和重新送样等事宜。

4.2.4 检测对第三方有影响的，应及时通知第三方，第三方应具有检测事务的知情权和检测全过程的监督权，并对检测结论有复议和申述权。

4.2.5 未经委托人同意，损坏或丢失有技术含量或有经济价值的样品，对委托人造成损失的，监测中心将给予一定的赔偿，质量负责人负责查明事情真相，并按本监测中心有关制度对有关责任人给予相应的处理。

4.2.6 委托人交足检测费后所获得的检测报告的所有权属于委托人。未经委托人的同意，本监测中心人员不得公开和复制检测结果，不得引用检测数据。

4.2.7 当本监测中心审核人员或检测人员发现由于检测仪器设备和环境设施发生故障，或检测人员失误而对检测结论的正确性和有效性产生怀疑时，由实验室起草书面文件交业务管理室，由业务管理室及时通知可能受影响的委托人，具体按《检测报告的编制和管理程序》执行。

4.2.8 委托人对本监测中心的服务质量和检测结果有异议时，按照《处理抱怨程序》执行，如本监测中心工作人员对委托人有不尊重行为，一经查实，有关责任人将按规定严肃处理，同时业务管理室将代表本监测中心向客户解释和道歉。

4.3 监督和违章处罚

4.3.1 监测中心全体检测、管理人员必须自觉执行为保护委托人机密信息和所有权所制定的全部规定及要求。

4.3.2 监测中心的保密工作由技术负责人实施日常监督检查。

4.3.3 对有违反上述规定的，应采取纠正措施，情节严重者将给予行政处罚或移交司法机关处理。

5 相关程序文件

(1)《检测报告的编制和管理程序》(×××××—CX—25—××××)。

(2)《处理抱怨程序》(×××××—CX—28—××××)。

文件25　检测报告的编制和管理程序

1　目　的

为保证检测报告的完整性、准确性和公正性，以及能真实地反映检测结果，特编制本程序。

2　适用范围

本程序适用于监测中心各类检测业务中检测报告的编制和管理。

3　职　责

3.1　技术负责人

技术负责人负责检测报告修改的批准，并维护本文件的有效性。

3.2　质量负责人

质量负责人根据检测要求，负责审核质控措施执行情况。

3.3　授权签字人

授权签字人负责检测报告的审核和签发。

3.4　实验室主任、主任工程师

实验室主任、主任工程师负责检测报告复核，对检测结果进行全面审查及合理性分析。

3.5　业务管理室

业务管理室负责检测报告的发送和报告副本的存档。

4　程　序

4.1　检测报告的编制、审核和签发

4.1.1　报告编制人对经复核无误的检测结果，按照上述规定的内容要求填制并出具检测报告，自核无误签名后，连同原始检验记录(包括对检验数据的计算或转换)和合同及有关证据一并送交实验室主任或实验室主任工程师进行复核。

4.1.2　复核人员应对自核的检测报告进行认真复核，复核无误签名后，送交授权签字人进行审核。发现一般性问题，返送回报告编制人，监督改正或重新出具检测报告；发现重大问题，向实验室主任和技术负责人报告。

4.1.3　授权签字人对复核的检测报告进行认真审核，审核无误签名后，交业务管理室发送。

4.2　检测报告的发送

4.2.1　对外测试报告封面正下方盖监测中心章。经过认证的检测，在报告封面的左

上角加盖计量认证的标志章。检测报告专用章盖于检测报告中的检测结论页，多于一页的检测报告，还必须在检测报告边缘以检测报告专用章加盖骑缝章。

4.2.2 经签发的检测报告由业务管理室通知委托方当面签收，未经委托方许可，不得发送他人。

4.2.3 当委托方不能当面签收时，应与委托方商定以其他方式发送。

4.2.4 采用电话、传真、电子邮件等其他方式向委托方传输检测结果报告时，应向委托方详细询问发送方式，尽可能采取保密和可靠措施。

4.3 对可疑结果的处理

4.3.1 当怀疑、发现有关报告数据有误时，监测中心实验室负责人或主任工程师应按照《数据控制程序》检查原始记录，严格审核检测数据，必要时进行补测、核查。

4.3.2 如果因仪器设备故障造成数据误差，检查仪器使用记录并采取各种比测方法验证结果。

4.4 对已发检测报告的修改／补充

当对已发检测报告的数据和结论产生怀疑或发现问题时，实验室负责人填写“检测报告的修改／补充通知书”交技术负责人审核。如是委托检测报告，应由业务管理室立即通知委托方，说明更正原因，并重新发送更改后的检测报告，将通知书和更改报告一并存档。

4.5 检测报告的归档

4.5.1 留存的检测报告副本应与委托协议、原始记录、检测报告的修改／补充通知书等有关文件一并归档保存于业务管理室，保存期为 10 年。

4.5.2 档案的管理应执行《记录与档案管理程序》。

4.6 发送检测报告的保密要求

4.6.1 监测中心任何人员未经批准，不准对检测结果进行发布、公布或评价活动。

4.6.2 除非委托人要求，禁止使用图文传真和网络发送、传送检测报告。

4.6.3 委托方如果通过代理人领取检测报告，代理人应凭有效的检测委托书(协议)领取并签字。

4.6.4 其他相关要求应同时遵守《保护委托人机密和所有权程序》。

5 附表及相关程序文件

(1)×××××水环境监测中心分析测试报告及分析测试结果报告单见表 25-1、表 25-2。

(2)×××××水环境监测中心检测报告修改／补充通知书见表 25-3。

(3)《数据控制程序》(×××××—CX—16—××××)。

(4)《保护委托人机密信息和所有权程序》(×××××—CX—24—××××)。

(5)《记录与档案管理程序》(×××××—CX—23—××××)。

(6)作业指导书(原始表格填写的技术规定)。

表 25-1　×××××水环境监测中心分析测试报告

文件编号：×××××—CX—25—××××(No.1)

( )字第( )号

委托单位______________________

样品名称______________________

送样日期 ________年________月_______日

测试内容______________________

技术负责人______________________

×××××水环境监测中心章

报告日期　　年　　月　　日

表 25-2　×××××水环境监测中心分析测试结果报告单

文件编号：×××××—CX—25—××××(No.2)

( )字第( )号

委托单位：			取样地点：		
样品种类：			送样日期：		
编号	项目	含量(mg/L)	编号	项目	含量(mg/L)
受控情况：					

填表人：　月　日　校核人：　月　日　技术负责人：　月　日

注意事项：

1.报告未加盖“×××××水环境监测中心”章无效。

2.对本报告若有异议，请于收到报告之日起 30 日内向检测单位提出，逾期不予受理。

×××××水环境监测中心地址：

邮政编码：

电　　话：

表 25-3　×××××水环境监测中心检测报告修改／补充通知书

文件编号：×××××—CX—25—××××(No.3)

______________：

由于我单位______________________________原因，原《×××××水环境监测中心分析测试报告(　字第　号)》作废，以《×××××水环境监测中心分析测试报告(　字第　号)》为准，不便之处，请予见谅。

×××××水环境监测中心

技术负责人：__________

年　月　日

文件 26 检测项目分包程序

1 目 的

为了规范分包检测活动，保证分包方工作满足本监测中心质量体系的要求，特编制本程序。

2 适用范围

本程序适用于本监测中心检测工作分包的管理和实施。

3 职 责

3.1 监测中心主任

监测中心主任负责分包合同的签发。

3.2 技术负责人

技术负责人负责分包检测项目的确定。

3.3 质量负责人

质量负责人负责组织质量评审和筛选确定分包实验室。

3.4 业务管理室

业务管理室负责检测分包工作的实施。

4 程 序

4.1 分包的原则

4.1.1 分包检测项目只占监测中心检测项目的很小一部分。

4.1.2 限于仪器设备使用频次低、价格昂贵及特殊检测。

4.2 分包项目的确定

4.2.1 业务管理室对需要进行分包检测的项目，向技术负责人提出分包申请，技术负责人根据申请组织确定分包检测项目。

4.2.2 分包检测项目确定后，应先征得委托方同意，在委托检测协议书中签署“同意××检测项目对外分包检测”字样。

4.3 分包检测工作的实施

4.3.1 选择的分包方应通过计量认证。业务管理室根据确定的分包项目，组织人员对分包实验室的质量体系和检测能力进行调查，调查内容主要包括：

(1)分包单位认证认可情况。

(2)分包单位检测能力。

(3)分包实验室质量体系运行和内部管理情况。

(4)分包单位人员素质。

(5)分包单位保密性措施。

4.3.2 调查资料应包括分包单位的认证、认可证书，检测项目表(复印件)、人员设备一览表(复印件)和调查报告。

4.3.3 调查人员将调查资料汇总，质量负责人组织质量评审和筛选确定分包实验室。

4.3.4 业务管理室将分包计划书面征求委托方意见，若同意，保留委托方同意分包证据，并起草《分包检测协议书》，由监测中心主任批准生效后实施。协议主要内容有：

(1)分包单位名称及认证认可情况。

(2)分包单位检测能力。

(3)分包项目和检验方法、检验结果报出时间。

(4)承包方按规定标准检测的权利和义务。

(5)委托分包方的权利和义务。

(6)分包期限和协议终止规定。

(7)承包方不得转包的规定。

4.4 分包检测后的有关事项

4.4.1 分包协议批准后，调查资料、分包协议、分包结果等由资料业务管理室存档保存。

4.4.2 编制对外检测报告时，分包检测数据应注明，复核、复查应加强。

5 相关程序文件

分包协议书。

文件 27　外部支持服务和供应管理程序

1 目　的

为有效控制对检测质量有影响的外部支持服务和供应，确保监测中心的检测质量，特编制本程序。

2 适用范围

本程序适用于仪器设备的购置，对检测质量有影响的外部检定、校准服务，标准物质购置及对各种消耗品的选择、购买、验收、使用和贮存。

3 职　责

3.1 监测中心主任

(1)审核批准相关计划。

(2)有关供方、服务方的审查确认。

3.2 综合室

综合室负责组织该类计划的落实。

3.3 实验室

实验室提出对服务和供应消耗品的评价与反馈，提出选择供应商的建议。

3.4 业务管理室

业务管理室负责标准物质的购买与验收。

3.5 仪器室

(1)负责制定年度仪器检定、校准计划。

(2)按要求送检仪器设备和量器。

(3)提出选择供应商的建议。

4 程　序

4.1 仪器设备的检定溯源

4.1.1　仪器室确认具有校准服务机构资质的法定计量检定单位或者授权单位。

4.1.2　确保该机构提供的量值可以溯源到国家计量基准，并由此确定量值溯源关系。

4.1.3　仪器室按计划，向以上机构联系并送检仪器设备和量器。

4.1.4　仪器设备的检定溯源具体按《实现测量可溯源程序》执行。

4.2 消耗品的采购、验收和贮存

4.2.1　根据批准的采购计划，综合室组织业务管理室、实验室、仪器室采购，采购

部门要保证所采购物品的质量、数量和供货时间。

4.2.2　购买回来的消耗品，由各室负责人组织验收，确保购回的物品质量满足检测工作的要求，并指定物资管理人员统一管理，登记建账。

4.2.3　不合格的物品须退回采购部门办理退货。

4.2.4　入库后物资应遵循说明书中的要求和规定进行贮存。试剂、危险品的贮存执行《试剂、危险品管理程序》。

4.2.5　标准物质执行规定的使用期限，过期的要及时处理。

4.3　供应商的确定与资料积累

4.3.1　根据如下原则提出供应商的名单：

(1)供应商具备提供相应服务的资质、能力和良好的信誉。

(2)提供优质、优价的服务。

4.3.2　根据如下原则对供应商进行评价：

(1)供应商的信誉。

(2)供应商的业绩与能力。

(3)价格。

(4)售后服务情况。

4.3.3　根据对供应商的评价结果，选择合适的供应商。

4.3.4　建立供应商档案，应包含如下内容：

(1)供应商资料。

(2)供货记录。

(3)服务质量。

(4)检测报告。

(5)评价记录。

5　相关程序文件及附表

(1)《试剂、危险品管理程序》(×××××—CX—22—××××)。

(2)《仪器设备的控制与管理程序》(×××××—CX—12—××××)。

(3)《标准物质的管理程序》(×××××—CX—13—××××)。

(4)《实现测量可溯源程序》(×××××—CX—14—××××)。

(5)消耗品采购计划表见表 27-1。

(6)供应商评价表见表 27-2。

(7)合格供应商记录表见表 27-3。

(8)监测中心物资账表见表 27-4。

表 27-1　×××××水环境监测中心消耗品采购计划表

文件编号：×××××—CX—27—××××(No.1)

序号	消耗品名称	规格	纯度	数量

申请人：　　　　　批准人：　　　　　日期：　　年　　月　　日

表 27-2　×××××水环境监测中心供应商评价表

文件编号：×××××—CX—27—××××(No.2)

物品名称		供应商名称	
联系电话		地址	
样品质量			
服务质量			
评价记录			
备　注			

评价人：　　　　　日期：　　年　　月　　日

表 27-3　×××××水环境监测中心合格供应商记录表

文件编号：×××××—CX—27—××××(No.3)

编号	供应商	供应物品名称	提供日期	评价表编号

记录人：　　　　　批准人：　　　　　日期：　　年　　月　　日

表 27-4　×××××水环境监测中心物资账表

文件编号：×××××—CX—27—××××(No.4)

序号	物资名称	规格型号	物资编号	生产厂家	出厂日期	使用情况	使用状况	使用人	备注

文件 28 处理抱怨程序

1 目 的

为使本监测中心在检测活动过程中充分注重来自委托人或其他方面的抱怨，为委托人提供满意的服务，使委托人的合法权益得到保护，特编制本程序。

2 适用范围

本程序适用于所有委托方或其他单位就检测服务工作中提出的抱怨(申诉)处理，包括书面、口头等形式。

3 职 责

3.1 质量负责人

(1)负责受理来自委托方的抱怨，组织实施对委托人抱怨的处理。

(2)按照要求的时间答复委托人抱怨调查和处理的结果。

(3)必要时组织质量体系的审核。

(4)负责维护本文件的有效性。

3.2 业务管理室

业务管理室负责抱怨(申诉)的受理。

3.3 实验室

(1)实验室负责人协助质量负责人对抱怨技术部分的核查。

(2)有关检测人员认真分析申诉材料，按处理意见重新测试，填写检测报告。

3.4 资料档案管理员

资料档案管理员负责管理和保存所有抱怨(申诉)和处理意见。

4 程 序

4.1 委托单位及时提出抱怨

委托单位对监测中心的服务质量(态度)有不满或对测试结果有异议时，应在接到报告次日起 15 日内向监测中心提出抱怨(申诉)，过期恕不受理。

4.2 抱怨的受理

4.2.1 本中心由监测业务室负责委托人抱怨(申诉)的接待工作，业务管理室收到有关委托人抱怨的信息后，接收人应用书面方式记录详细的抱怨情况，若委托人的抱怨为口头或电话投诉，接待人员应主动、热情、耐心地询问并记录清楚投诉的内容。

4.2.2 若委托人的抱怨为书面投诉，应要求投诉方提交投诉报告，并附有其单位负责人的签字和公章。

4.2.3 抱怨(申诉)是反映服务质量的重要信息之一，业务管理室受理后应及时和相关责任部门及人员联系，通过调查核实、分析研究、确认事实并在此基础上做出判断。

4.2.4 业务管理室应将接收的所有抱怨(申诉)材料分类整理、记录后，及时送交中心质量负责人。遇到较严重的抱怨时，质量负责人应及时将情况向监测中心主任报告。

4.2.5 接到抱怨后，由质量负责人会集有关职能科室召开会议制定切实可行的计划，对抱怨的内容进行原因调查和问题的分析，研究引起抱怨的因素和答复委托人的合理方式。

4.2.6 当抱怨涉及到检测报告和数据时，质量负责人负责组织检查，检查应执行《数据控制程序》、《样品的管理程序》、《控制偏离的管理程序》等相关程序。

4.2.7 当抱怨涉及到人员职责或监测中心的质量方针和程序时，质量负责人应及时制定内审计划，按照《内部质量体系审核程序》开展对监测中心有关人员职责或质量方针和程序的审核。

4.2.8 当内审问题涉及到监测中心的质量方针或质量体系的结构时，质量负责人应尽快将内审结果报监测中心主任，由监测中心主任实施对质量体系的评审。管理评审应执行《管理评审程序》。

4.2.9 经确认不属于本监测中心责任的问题，通过与抱怨(申诉)者沟通解决。

4.3 抱怨的答复

4.3.1 在完成了对委托人抱怨的调查和处理后，由质量负责人起草答复函，正式答复委托人的抱怨。

4.3.2 遇到较严重的抱怨处理时，起草后的答复函应由监测中心主任审核后发出。

4.3.3 质量负责人将抱怨处理的全部过程记录交业务管理室资料档案管理人员归档保存。

4.4 抱怨及处理意见的归档保存

监测中心必须保存所有抱怨(申诉)和处理的书面意见，保存期为一个周期(5年)，所有处理抱怨(申诉)结果提交监测中心主任。

5 附表及相关程序文件

(1)抱怨处理记录见表28-1。

(2)《样品的管理程序》(×××××—CX—19—××××)。

(3)《数据控制程序》(×××××—CX—16—××××)。

(4)《内部质量体系审核程序》(×××××—CX—07—××××)。

(5)《管理评审程序》(×××××—CX—08—××××)。

(6)《控制偏离的管理程序》(×××××—CX—06—××××)。

表 28-1　×××××水环境监测中心抱怨处理记录

文件编号：×××××—CX—28—××××(No.1)

抱怨人			
管理人		时间	
抱怨方式：　信函　/信　/传真　/电话　/口头　/电子邮件			
抱怨事由记录：			
调查结果	质量负责人：　　　　年　月　日		
处理措施	实验室负责人：　　　　年　月　日		
审核意见	监测中心主任：　　　　年　月　日		

程序文件修改表

修改编号	对应的章、节、条号	修改内容	修改人	批准人	批准日期

参考文献

[1] 国家质量技术监督局认证与实验室评审管理司. 计量认证／审查认可（验收）评审准则宣贯指南. 北京：中国计量出版社，2001

[2] 中国实验室认可委员会. 实验室认可评审员培训教程. 北京：中国计量出版社，2003

[3] 许加清，等. 计量认证／审查认可（验收）知识问答. 北京：中国计量出版社，2002

[4] 李青山. 水利质检机构计量认证准备指南. 北京：中国水利水电出版社，2005

[5] 中质协质量保证中心. 内部审核策划与实施. 北京：中国标准出版社，2002

[6] 昃向君，等. 实验室认可准备与审核工作指南. 北京：中国标准出版社，2003

[7] 张斌. 实验室管理、认可与运作. 北京：中国标准出版社，2004

[8] 吴景峰. 环境监测机构管理实务. 北京：中国环境科学出版社，2000